WITHDRAWN

WITHDRAWN

Déjà parus dans la série

ANIMORPHS

Pour en savoir plus,
rendez-vous à la p. 290

K. A. Applegate
LA CRÉATURE

Traduit de l'américain
par Nicolas Grenier

Les éditions Scholastic

*Pour Jean Feiwel, Graig Walker et Tonya Alicia
Martin, sans qui ce livre serait resté
à l'état de brouillon.*

Et, toujours, pour Michael

Données de catalogage avant publication (Canada)

Applegate, Katherine
La créature

(Animorphs. Mégamorphs ; 1)
Traduction de : The andalite's gift.
ISBN 0-439-00468-3

I. Grenier, Nicolas. II. Titre. III. Collection.
PZ23.A6485Cr. 1999   j813'.54   C98-932869-4

Copyright © Katherine Applegate, 1997
Copyright © Gallimard Jeunesse, 1998, pour le texte français.
Tous droits réservés

Il est interdit de reproduire, d'enregistrer ou de diffuser en tout ou en partie
le présent ouvrage, par quelque procédé que ce soit, électronique, mécanique,
photographique, sonore, magnétique ou autre, sans avoir obtenu au préalable
l'autorisation écrite de l'éditeur. Pour toute information concernant les droits,
s'adresser à Scholastic Inc., 555 Broadway, New York, NY 10012.

Animorphs est une marque déposée de Scholastic Inc.

Édition publiée par Les éditions Scholastic, 175, Hillmount Road,
Markham (Ontario) Canada L6C 1Z7.

4321   Imprimé en France   9/901234/0
N° d'impression : 45140

CHAPITRE 1
Jake

Je m'appelle Jake. Simplement Jake. Sans nom de famille. Ou, du moins, sans un nom de famille qu'il me soit permis de vous révéler.

Je suis un Animorphs. Et j'ai bien peur que cela fasse de moi une des espèces les plus menacées, les plus traquées qui soient sur Terre. Les Yirks veulent ma mort. Ils veulent la mort de mes amis. S'ils savaient qui je suis, et comment me trouver, je n'aurais pas une chance de m'en sortir.

Voilà pourquoi je ne vous dirai pas mon nom de famille. Pas plus que je ne vous dirai dans quelle ville ni dans quel État j'habite. Parce que je veux continuer à vivre. Je veux continuer à vivre pour les combattre.

Faites-vous partie de ces gens qui regardent le ciel, la nuit, et qui se demandent si la vie existe, quelque part dans les étoiles ? Est-ce que vous vous posez des questions sur les OVNI ? Vous demandez-vous si des extraterrestres vont venir un jour visiter la Terre ?

Eh bien, cessez de vous le demander. Les Yirks sont là.

Il s'agit d'une espèce de parasites. De simples petites limaces, en vérité. Des petites limaces qui se glissent dans votre tête et enveloppent votre cerveau pour vous contraindre à faire tout ce qu'ils désirent.

Lorsque cela vous arrive, vous cessez d'être un véritable être humain. Vous devenez un Contrôleur. C'est ainsi que nous appelons un humain qui se trouve sous le contrôle d'un Yirk. Lorsque vous parlez à un Contrôleur, vous pouvez être en face d'un visage humain, vous pouvez entendre une voix humaine, mais c'est à un Yirk que vous parlez en réalité.

Et ils sont partout. Si vous croyez que vous n'en avez jamais vu, vous vous trompez. L'agent de police dans sa voiture de patrouille, l'employé du supermarché, votre professeur, votre curé, votre médecin : n'importe lequel d'entre eux peut être un Contrôleur. Votre mère, votre père, votre sœur ou votre meilleur ami : ils peuvent tous être des Contrôleurs.

J'en sais quelque chose. Mon frère Tom est l'un d'entre eux. Ils m'ont pris mon frère et en ont fait un ennemi. Tous les matins, je m'assois à la table du petit déjeuner avec lui et nous échangeons quelques mots. Mais pendant tout ce temps, je sais que Tom n'est désormais plus Tom.

Et ils ont aussi pris la mère de mon meilleur ami. Tout le monde croit que la mère de Marco est morte. Seuls lui et moi connaissons la vérité : elle est, elle aussi, devenue un Contrôleur.

Ils sont partout. Ils peuvent être n'importe qui. Ils détruisent les vies. Ils font des choses innommables. Et nous sommes les seuls à nous dresser contre eux. Nous seuls connaissons la menace. Nous six : cinq Animorphs et un Andalite.

Cinq ados humains disposant du pouvoir de se transformer en n'importe quel animal après l'avoir touché. Et un ado venu d'une autre planète, qui forme un bizarre mélange de cerf, d'homme et de scorpion.

Nous six contre toute la puissance des Yirks, et tout le génie démoniaque de leur chef, Vysserk Trois.

Et c'est pourquoi Rachel se faisait du souci à l'idée de s'absenter, même pour un week-end.

Nous étions tous réunis, ce vendredi soir-là : Marco, Cassie, Tobias, Rachel et moi. Ax n'était pas là, parce qu'il aurait dû prendre son animorphe humaine.

Il n'aime pas se changer en humain. Il estime se sentir tout nu sans sa redoutable queue.

Donc, nous n'étions que cinq dans la grange de Cassie, entourés par une foule d'animaux qui jacassaient, couinaient, gazouillaient, se lissaient les plumes (et ne sentaient pas toujours très bon) dans leurs cages. La grange est également le Centre de sauvegarde de la vie sauvage. Les parents de Cassie sont vétérinaires. Ils se servent de leur grange pour abriter des animaux sauvages malades ou blessés.

– C'est tout bêtement deux jours dans un camp de gymnastique débile auquel je m'étais inscrite il y a un bon bout de temps, grognait Rachel. Ça n'a rien d'important. C'est un truc que je comptais annuler...

– Rachel, tu devrais y aller, conseilla Cassie. Nous ne pouvons pas consacrer nos vies entières à combattre les Yirks. Nous devons essayer d'avoir des existences à moitié normales, au moins. Ce que je veux dire, c'est que nous ne pouvons pas passer tout notre temps plongés dans le danger, la terreur et les batailles, quoi ! Alors vas-y. Mais en attendant, aide-moi à soulever la cage de ce corbeau. Il faut le mettre sur cette étagère.

Cassie tentait de nous réquisitionner pour l'aider à nettoyer la grange dont nous nous servions pour nous réunir. C'était un des rares endroits où nous pouvions nous rassembler avec Tobias. Ce qui n'est pas tout à fait possible au milieu du centre commercial.

< Les corbeaux... fit Tobias en parole mentale que nous ne pouvions entendre que dans notre esprit. J'arrive pas à croire que tu puisses sauver la peau d'un corbeau. Je hais les corbeaux. Tu sais comment il s'est cassé l'aile, celui-là ? Sans doute en attaquant avec vingt autres de ses copains un respectable faucon, je parie. Les corbeaux ne sont que des minables. >

Tobias était perché tout en haut dans la charpente de la grange. Il pouvait entrer et sortir en traversant le grenier d'un coup d'aile. Tobias est un faucon à queue rousse. En réalité, dans son esprit, dans son âme, Tobias est humain. Mais le pouvoir de morphoser expose ceux qui l'utilisent à un risque terrifiant. Restez plus de deux heures dans une animorphe, et vous y resterez pour toujours. Tobias a été piégé dans un corps pourvu de longues et puissantes ailes, de serres effilées et tranchantes, et d'yeux aussi féroces qu'agressifs implantés de part et d'autre d'un bec crochu.

En le voyant, on ne peut pas imaginer qu'il a été quelqu'un de si gentil. Je pense qu'il est toujours le même. Mais il est aussi un faucon.

< Ouais, c'est bien toi que je regarde, sale corbeau ! > le nargua Tobias d'un air menaçant.

Manifestement, l'oiseau ne comprenait rien à la parole mentale.

Cassie sourit.

– Tobias, je t'ai promis que quand on le relâcherait, on le ferait loin de ton territoire.

– J'ai déjà prévenu Melissa Chapman que je n'irais pas, insista Rachel, toujours bloquée sur le même sujet. Elle est partie au camp cet après-midi, juste après les cours.

Marco, qui jusqu'alors était resté écroulé sur une grosse botte de foin, les yeux fixés au plafond, se redressa pour s'asseoir.

– Rachel pense que nous ne sommes pas capables de survivre sans elle pendant deux jours. Attention, les gars, c'est que vous êtes en présence de la terrible Xena, la princesse guerrière !

C'était le nom dont Marco adorait affubler Rachel pour la faire enrager. Elle a tendance à faire preuve d'un courage excessif. Chaque fois qu'il s'agit de faire quoi que ce soit d'un peu fou, elle est la première à se porter volontaire.

— Marco ? Tu as du foin dans les cheveux, le prévint Rachel.

Il ignora sa remarque.

— Rachel est convaincue que si elle n'est pas là et qu'on a des problèmes, on va tous fuir en piaillant et en pleurnichant comme une bande de gamins terrifiés.

Il prit un air faussement sérieux avant de poursuivre :

— Tout ce que je veux savoir, c'est pourquoi est-ce que tu ne t'habilles pas comme Xena ? Tu vois, tout le truc, cuir, épée, et tout ça, ça t'irait vachement bien !

— D'accord, ferme-la, je vais y aller, soupira Rachel. Je vais y aller. Rien que pour être loin de Marco pendant deux jours. Je prendrai le bus demain matin.

— Pense à moi quand tu seras sur les barres asymétriques, lui lança Marco.

Mais ce n'était pas Marco que Rachel regardait. C'était Tobias.

— Dites, les gars, vous allez rester bien sages pendant que je serai partie, hein ?

< On sera sage comme des images, Rachel >, assura Tobias.

Je vis Cassie sourire et mon regard rencontra le sien. Elle m'adressa un discret hochement de tête. D'après Cassie, il y aurait quelque chose entre Rachel et Tobias. Même si elle ne lui en a jamais parlé, alors qu'elle et Cassie sont les meilleures amies du monde. Cassie pense que c'est merveilleusement charmant et romantique. Moi, je trouve ça plutôt triste. Parce que, pour autant qu'on le sache, Tobias ne sera plus jamais entièrement humain...

– On va tout simplement passer un week-end aussi normal et agréable que possible, ajoutai-je. On va s'éclater tout à fait normalement. Je crois qu'on a eu bien assez de problèmes et d'émotions fortes comme ça, ces derniers temps.

Marco me lança un regard sournois, lourd de ressentiment.

– Certains d'entre nous vont s'éclater plus que d'autres. Certains d'entre nous vont aller à des piscine-parties où certains autres n'ont pas été invités.

Dans un geste théâtral, il serra les poings et les brandit en direction du plafond.

– Pourquoi ? Pourquoi ? Qu'est-ce que cette fille a contre moi ?

Je levai les yeux au ciel.

achel

e m'appelle Rachel. Je vis avec ma mère et mes
etites sœurs. Nous habitons tout à côté de chez
ui habite tout à côté de chez Marco. Cassie est
vit le plus loin parce qu'elle habite dans une

qu'on est une bande d'ados tout à fait
Enfin, je veux dire qu'on était une bande
fait ordinaires.

vec son père. Je vis avec ma mère.
ont l'un comme l'autre leurs deux
llons au collège. Nous faisons nos
s nous balader dans le centre com-
tons de la musique. Nous allons au
week-ends. Rien que des choses
alité affligeante.

us nous sommes retrouvés par

— Et c'est reparti...

Cassie vint à mon secours.

— J'aurais besoin de quelqu'un de fort pour venir m'aider à décharger quelques nouvelles cages de la camionnette. Marco ?

— Ouille ! Mon dos ! gémit-il. Une douleur atroce, fulgurante !

— J'arrive, Cassie, ai-je dit, avant de renverser Marco sur sa botte de foin, en ajoutant : Tu es vraiment navrant !

— Ne te fais pas un tour de reins, ricana-t-il avec un sourire suffisant.

Dehors, au-delà du halo doré des lumières de la grange, il commençait à faire sombre. La pleine lune s'était levée, et on pouvait tout juste apercevoir les premières étoiles loin vers l'est.

La plate-forme du pick-up disparaissait sous un amoncellement de cages métalliques dangereusement empilées. J'entrepris de dénouer la corde qui les maintenait en place.

— Ça a l'air bizarre, Rachel qui s'en va, même si c'est simplement pour deux jours, me confia Cassie. Et ça a l'air encore plus bizarre que ça puisse paraître bizarre. Après tout, ça ne devrait pas avoir d'importance.

— Ben, j'imagine que quand la vie devient complètement cinglée, c'est les choses normales qui se mettent à avoir l'air étrange.

Cassie hocha lentement la tête. Pendant un moment, elle ne dit plus rien. Elle se contenta de rester les bras croisés, à regarder la lune.

Je redescendis de la camionnette.

— Qu'est-ce qui te tracasse ?

Elle haussa les épaules.

— Rien. Juste… une impression. Je sais pas. Des mauvais rêves, sans doute.

— Moi aussi, j'en fais, avouai-je. On en fait tous. On ne peut pas vivre ce qu'on vit, passer par tout ça sans que ça nous perturbe. Ton rêve, c'est sur quoi ? Les fourmis ?

Une fois, nous avons morphosé en fourmis. Nous sommes descendus dans une fourmilière et nous avons été attaqués par une colonie ennemie.

Aucun d'entre nous n'aurait voulu revivre ça. Jamais.

— Non, non, c'est pas les fourmis, répondit Cassie. Enfin, pas directement. C'est… c'est idiot. Il y a… quelque chose. Je ne sais même pas ce que c'est. Mais ce n'est pas une bonne chose. Et elle me

demande de faire un choix. Dans le rêve, je dois der qui doit vivre et qui doit mourir.

Je m'approchai de Cassie et passai autour de son épaule. En touchant ses sentis qu'elle avait la chair de poule.

— Je n'ai jamais eu peur de rien, maintenant, c'est comme si j'avais

— Pourtant, tu arrives à la su

Ça me rendait nerveux de chose. Je dois penser qu'i la peur pour qu'elle s'en

— Tu l'as toujours s

— Jusqu'ici, fit d

hasard au centre-ville et avons décidé de rentrer ensemble en prenant un raccourci à travers un chantier abandonné à l'écart de la route principale.

Jusqu'alors, nous ne formions pas précisément une bande. Jake est mon cousin, mais on ne se voyait pas vraiment, en dehors du collège. Cassie était ma meilleure amie, et depuis longtemps déjà. Mais Marco était uniquement l'ami de Jake, pas le mien. Quant à Tobias, Jake l'avait pris en pitié parce que sa situation familiale était catastrophique et qu'il s'était retrouvé la cible de sales petits voyous.

Ça, c'est tout Jake : dès qu'il voit qu'on fourre la tête de quelqu'un dans une cuvette des toilettes du collège, il ne peut pas s'empêcher d'intervenir. Jake n'est pas quelqu'un de particulièrement costaud, et tout et tout. Mais quand il vous dit, de sa voix calme et raisonnable, de laisser quelqu'un tranquille, vous obéissez. Un point, c'est tout.

Bref, c'est Jake qui commande. A dire vrai, il ne l'a jamais voulu. Ça semble tout simplement logique.

Ce qui ne veut pas dire qu'il ne puisse pas faire des choses stupides. Par exemple, il est indéniable qu'il se trouvait avec nous, en train de traverser ce chantier isolé, abandonné, en pleine nuit. Et ce n'était sûrement pas la chose la plus intelligente qu'il ait jamais faite !

Mais vu comme les événements ont tourné, cette nuit-là, le véritable danger ne venait pas d'un quelconque éventreur fou. Le vrai danger venait d'un endroit absolument imprévisible.

En fait, tout a commencé quand le vaisseau spatial andalite en perdition a atterri. Juste sous nos yeux, au milieu du chantier abandonné. C'est là que nous avons vu notre premier extraterrestre. C'est là que nous avons appris ce qu'était la menace yirk. Et c'est là que l'Andalite, le prince Elfangor, nous donna le pouvoir de morphoser.

C'est là, aussi, que le prince Elfangor trouva la mort. Nous avons assisté à sa fin. Nous avons vu cette créature courageuse, honnête et bonne se faire assassiner par Vysserk Trois. Assassinée pour avoir tenté de protéger le peuple de la Terre.

Toujours est-il que c'est ainsi que nous sommes devenus une vraie bande. C'est Marco qui a trouvé un nom pour ce que nous sommes. Les Animorphs. Des personnes qui peuvent se métamorphoser en animaux.

L'Andalite nous a confié la mission de combattre les Yirks, et il nous a laissé cette arme unique : le pouvoir de morphoser. Et, comme toutes les armes, elle est dangereuse, même pour ceux qui l'utilisent pour une juste cause. Demandez un peu à Tobias ce qu'il en pense.

Mais c'est un pouvoir terrifiant. Nous avons infligé quelques dégâts aux Yirks. Et, pour être honnête, je dois reconnaître que le pouvoir de morphoser est parfois franchement rigolo. En ce moment, néanmoins, ma vie « normale » reprenait ses droits.

Ce matin-là, Il commençait déjà à faire chaud lorsque j'arrivai à pied au collège. Le car qui devait nous emmener au camp devait passer à onze heures. J'étais arrivée avec une heure d'avance.

Je m'arrêtai sur le trottoir en face du bâtiment et consultai ma montre. Le soleil montait vite et, visiblement, la journée promettait d'être étouffante. Je souris. Ça allait être un bon jour pour voler.

Je traversai le terrain de sport et me dirigeai vers les bois qui s'étendent derrière le collège. J'avais envie de voir Tobias avant de partir. Pour rien de particulier, simplement, je m'inquiète de ce dont Tobias peut avoir besoin. A l'occasion, je lui apporte des livres. Enfin, vous voyez… des choses qu'il peut difficilement se procurer dans les bois, quoi.

Mais Tobias n'est pas le genre de garçon qu'on peut toujours repérer facilement. Surtout le matin, à l'heure où il chasse pour son petit déjeuner. Je savais qu'il me faudrait de bons yeux et une certaine vitesse pour réussir à le trouver et revenir à temps pour attraper le car.

Il est comique de constater qu'il ne m'est pas venu à l'idée que je me trouvais dans une situation très périlleuse. Écoutez un peu : ma mère et mes amis étaient tous persuadés que je partais pour ce camp de gymnastique. Ils ne s'attendaient donc pas à me voir durant deux jours. Mais les gens du camp, eux, ne pensaient pas que j'allais venir. Si bien qu'ils ne s'attendaient pas à me voir, eux non plus.

Mais rien de tout cela ne me tourmentait. Après tout, pourquoi aurais-je dû m'inquiéter ?

J'entrai donc sous les arbres, me débarrassai de mes vêtements en ne gardant que ma tenue d'animorphe et les pliai dans mon sac que je cachai dans des buissons touffus. Puis, je jetai un rapide coup d'œil alentour pour m'assurer que j'étais bien seule et je commençai à morphoser.

Je concentrai mon esprit sur un des nombreux animaux dont l'ADN est devenu une partie de moi-même.

Chaque animorphe est unique. La transformation ne se produit jamais deux fois de la même façon. Cette fois, la première chose qui se modifia fut ma bouche. Mes lèvres devinrent dures et rigides. Et lorsque je baissai les yeux, je pus les voir prendre une teinte jaune vif et saillir devant mon visage.

En même temps, j'avais commencé à rétrécir. Le sol tapissé d'aiguilles de pin monta à ma rencontre lorsque que je perdis trente centimètres de haut en une poignée de secondes. Puis encore trente centimètres...

Mais c'est avec ma peau que se déroulait le phénomène le plus étrange. La chair de mes bras nus se mit à fondre comme de la cire à bougie. A fondre et à se mélanger pour dessiner des motifs compliqués, comme des tatouages de plumes. Et puis soudain, les dessins de plumes cessèrent d'être de simples dessins. Les véritables plumes firent leur apparition.

Elles étaient brun foncé, hormis celles qui avaient pris la place de mes cheveux blonds et de la peau de mon visage et de mon cou. Ces plumes-là étaient toutes d'une blancheur immaculée.

Lorsque l'animorphe fut pratiquement achevée, je ne mesurais guère plus de soixante centimètres de haut, environ. Mes pieds s'étaient fendus pour former des serres jaunes, dont chacune se terminait par une redoutable griffe crochue.

Mes bras se placèrent à l'horizontale. Ils se couvrirent de longues plumes, en même temps que mes lourds et solides os humains devenaient creux et légers.

La transformation n'avait duré que quelques minutes. Je n'étais plus humaine. J'étais un aigle à tête blanche.

Je me tournai pour faire face au vent et j'ouvris mes ailes. D'une extrémité à l'autre, elles mesuraient un mètre quatre-vingts. Je sentais le vent appuyer sur mes plumes, tendre mes muscles. Je battis plusieurs fois des ailes avec beaucoup de puissance, et… je me retrouvai en l'air ! Je relevai mes serres et je les plaquai sous mon corps.

Je prenais de l'altitude. J'accentuai le mouvement et m'élançai à l'assaut des arbres. Leurs plus hautes branches tentèrent de m'arrêter, mais elles me manquèrent. Je battis des ailes encore plus fort et je captai un bon, un puissant vent de face. C'était comme un levier invisible qui me soulevait, me hissait de plus en plus haut.

De plus en plus haut ! Je m'élevai jusqu'à plus d'une centaine de mètres au-dessus de la forêt. Je pouvais voir le collège, loin au-dessous, le bus garé sur le parking désert. Et, comme j'étais un aigle, je pouvais voir bien plus de choses encore.

Regarder avec les yeux d'un aigle, c'est comme avoir des jumelles incorporées. A plus d'une centaine de mètres d'altitude, j'étais capable de voir des mulots pointer leurs petits museaux hors de leurs terriers. J'étais capable de voir des fourmis escalader les troncs des arbres. J'étais capable d'observer à travers la surface d'un ruisseau les poissons minuscules qui y nageaient. J'étais capable de tout voir, comme aucun humain ne verrait jamais.

Je virai vers les sous-bois plus profonds où vivait Tobias.

Il existe peut-être quelque chose de mieux que de voler librement, loin au-dessus des arbres, en chevauchant le vent, mais j'en doute. Ça me procurait un sentiment de liberté qui dépassait n'importe quel rêve de liberté. J'adorais ça. Il y a des jours où je serais prête à jurer que la simple faculté de voler compenserait presque toute la souffrance que la guerre contre les Yirks a pu nous apporter.

J'étais tout près du territoire de Tobias quand j'ai repéré quelque chose d'intéressant au-dessous de moi. Ça ressemblait à une espèce de cerf qui galopait à vive allure entre les arbres. Lorsque je concentrai mon puissant regard d'aigle sur l'animal en question, je reconnus sans tarder le visage et le torse à demi humains, ainsi que la mortelle queue de scorpion.

Ax ! Ou plutôt, Aximili-Esgarrouth-Isthil, pour citer la totalité de son nom. Ax est un Andalite. Le seul Andalite qui ait survécu à une terrible bataille spatiale qui les a opposés aux Yirks. Le prince Elfangor était son frère.

C'était drôle de le voir galoper. Je n'ai jamais rien vu qui puisse, dans un premier temps, sembler aussi délicat et mignon puis, dans la seconde qui suit, aussi dangereux qu'un Andalite !

Je décidai de passer en rase-mottes au-dessus d'Ax et de lui faire coucou ! Je laissai échapper un peu d'air entre mes ailes et piquai, enivrée par la sensation d'une chute contrôlée de plusieurs dizaines de mètres de haut. C'est comme sauter du haut d'un gratte-ciel en sachant qu'on va s'en tirer indemne.

Je piquai vers les arbres. A vrai dire, j'eus le temps de remarquer le nid dans une haute branche, juste du coin de l'œil, et de me dire : « Ils sont vraiment mignons, ces petits oisillons ! »

Et c'est là qu'ils m'attaquèrent.

Psiouuw !

Psiouuw !

Plus rapides que moi ! Plus agiles ! De petits oiseaux noirs me fonçaient dessus comme des flèches, comme s'ils allaient frapper. Ils étaient trop nombreux !

Psiouuw ! Psiouuw ! Psiouuw !

Je virai brutalement sur la gauche. En un éclair je compris ce qui se passait. Ils croyaient que j'attaquais leur nid. Ils m'assaillaient. Ils essayaient de m'éloigner.

J'amorçai un virage serré sur l'aile. Trop serré ! Trop rapide ! J'avais encore toute la vitesse acquise par mon piqué. Trop vite ! Plonge à gauche ! Vire !

Blam !

Je vis à peine le tronc d'arbre avant de le percuter. Tête la première.

Je tombai. Je tombai au milieu d'un entrelacs de branches qui me déchiraient, me frappaient, me giflaient, m'arrachaient les plumes.

Je heurtai le sol violemment. J'étais blessée. Je savais que j'étais blessée. Je m'évanouissais. Mon esprit tournoyait. Ma conscience humaine… l'instinct de l'aigle… tout tournait, tout bougeait dans tous les sens. Je glissais, je tombais au fond d'un puits noir.

Tout au fond…

« Démorphose, m'ordonnai-je. Rachel, vas-y.. Démorphose ! »

Puis, j'ai perdu connaissance.

CHAPITRE 3
Marco

– Écoute, c'est pas compliqué, expliquai-je d'une voix patiente. Il y a cette fête. Cette piscine-partie. Où je n'ai pas été invité. Et où, non seulement on ne m'a pas invité, mais où la fille qui organise la fête a tout fait pour m'éviter et éviter de m'inviter !

Au fait, salut, je m'appelle Marco. Je suis un Animorphs, moi aussi. C'est moi le beau gosse, le plus futé de la bande. Non, sans rigoler, c'est Jake le boss, Cassie la fille cool, Rachel la nana aussi courageuse que stupide, et Tobias l'oiseau.

Je suis le beau gosse. C'est ce que pensent toutes les filles. Toutes sauf Darlene.

< Donc, on ne veut pas que tu viennes à cette fête mais, malgré tout, tu veux y aller ? >

Ça, c'était Ax qui parlait. Enfin, il ne parlait pas exactement. Ax est un Andalite, et les Andalites n'ont pas de bouche. Ils utilisent la parole mentale pour communiquer. C'est comme la télépathie. Nous pouvons tous en faire usage lorsque nous sommes dans une animorphe. Mais c'est le langage habituel des Andalites. Le nom véritable d'Ax est Aximili-Esgarrouth-Isthil. De quoi se faire des nœuds avec la langue, n'est-ce pas ? Bref, vous savez désormais pourquoi nous l'appelons tout simplement Ax.

– C'est ça, lui expliquai-je. Tu vois, Cassie et Jake ont été invités tous les deux. Rachel aussi, mais elle va à ce truc de gym débile. Au fond, tout le monde au collège a été invité. Alors tout ce que je me dis, c'est qu'il doit bien y avoir une raison pour que j'aie été tenu à l'écart. Et je crois que je la connais, cette raison : c'est que Darlene m'Aime. Il n'y a aucune autre explication possible.

Ax parut perplexe.

< Est-ce que c'est une chose fréquente chez les humains ? Avez-vous l'habitude d'éviter ceux que vous aimez ? >

– Pas ceux que vous aimez. Aimer. Je t'aime, Ax. Mais je ne t'Aime pas. Il y a aimer, et puis il y a Aimer.

Ax me dévisagea avec ses yeux principaux. Il possède deux paires d'yeux. Deux d'entre eux sont disposés normalement. Les deux autres sont placés au bout de sortes de tentacules qui se dressent au sommet de son front comme les petites cornes qui ornent la tête des girafes. Au bout de chaque tentacule, il a un œil qu'il peut pointer dans n'importe quelle direction. C'est très bizarre. Et c'est très difficile d'échapper à ce regard. Ça, c'est certain.

< Je ne sais plus que penser >, s'excusa Ax.

– C'est pas grave. Tu n'as pas besoin de comprendre. Je voudrais juste que tu viennes avec moi.

< A la fête ? >

– C'est ça. Il faut qu'on y aille pour savoir ce que Darlene raconte sur moi. Elle et toute sa petite bande vont sans doute parler de moi, et je veux savoir ce qu'elles vont dire.

< Et tu veux que je vienne avec toi ? >

– Ouais, toi et moi ! J'ai besoin de quelqu'un pour surveiller mes arrières !

< Mais le prince Jake sera à la fête, non ? >

Je levai les yeux au ciel. Ax est persuadé que Jake est son prince. J'ai bien peur que les Andalites ne soient un peu royalistes...

– Oui, Jake sera là. Mais tu crois qu'il va m'aider à surveiller Darlene ? Pas plus que Cassie qui n'a franchement pas grand-chose à voir avec la bande de pom-pom girls qui entoure Darlene. Elles sont tout juste capables de causer de fringues et de mecs. Cassie, elle parle surtout d'animaux, de sauver la planète et tout, et tout.

< Pardonne-moi si je te semble sceptique et, surtout, ne te sens pas offensé, m'avertit Ax. Mais j'ai le sentiment qu'il s'agit peut-être d'une idée peu honorable. >

< Tu as parfaitement raison, Ax. >

Ça, c'était Tobias. Il passa rapidement au-dessus de nos têtes et se posa sur une branche basse. Il tenait quelque chose dans son bec.

– Salut Tobias ! lançai-je. Tu l'as ?

< Ouais, et est-ce que tu sais à quel point ça peut être pénible de voler avec une souris qui n'arrête pas de couiner et de gigoter dans ton bec ? >

– Laisse-la tomber, je vais l'attraper.

< Tu es l'être humain le plus tordu que je connaisse, Marco, me complimenta Tobias. Ax, si tu possèdes un atome de bon sens, ne te laisse pas embarquer là-dedans. >

< Mais Tobias, je souffre. J'ai de petites bosses qui me démangent affreusement sur tout le corps. Marco

a accepté de m'aider, si je l'aidais en retour. Il possède un médicament rare qui doit me faire du bien. >

< Marco ! Tu fais chanter Ax avec de la poudre anti-parasites? Ax, mon ami, tu as juste attrapé une ou deux puces. C'est normal dans la forêt. Ne te laisse pas avoir par Marco… >

– Donne-moi la souris et arrête de parler comme si tu étais mon père, l'interrompis-je. Je ne fais chanter personne. Je vais apporter la poudre anti-parasites à Ax, et voilà tout ! Ah, je te jure, la confiance règne, ici !

Tobias lâcha la souris et je la récupérai dans une main. Elle se tortilla dans tous les sens et je faillis bien la laisser échapper. Mais, dès que je commençai à l'ac-quérir, elle se calma.

Il faut vous dire que si vous voulez morphoser en un animal, vous devez d'abord l'acquérir. Pour cela il faut entrer en contact avec lui. En contact physique, en le touchant. Puis, vous devez, en quelque sorte, vous concentrer sur lui. Là, l'animal entre en transe. Et pen-dant ce temps, l'ADN de l'animal est assimilé.

Ne me demandez pas comment ça marche. C'est une sorte de bizarre procédé biotechnologique anda-lite. Tout ce que j'en sais, c'est que ça marche.

Quand j'ai eu fini d'acquérir la souris, je l'ai tendue à Ax. Il a eu besoin de ses deux mains pour la tenir. Les bras et les mains des Andalites sont assez frêles. Bien sûr, ils ont aussi quatre pattes et, elles, elles sont franchement costaudes. Je veux dire, Ax est capable de foncer comme une flèche quand il veut. Je parierais qu'il peut presque atteindre le soixante-dix à l'heure.

Et puis il y a cette queue. Cette queue, c'est la raison pour laquelle les Andalites ne pourront jamais être considérés comme mignons. J'ai vu notre copain Ax se servir de sa queue sur des guerriers hork-bajirs adultes. Et sa rapidité ? Croyez-moi, on ne la voit même pas bouger ! Ça fait quelque chose comme ssshlaack ! et, tout à coup, un Hork-Bajir n'a plus qu'un bras. Je crois qu'Ax serait capable d'abattre un arbre d'un coup de queue si par hasard il en avait envie.

< Marco, tu sais que Jake va te découper en rondelles après ça, m'avertit Tobias. Tu sais très bien que jamais on ne doit morphoser pour des raisons personnelles ! >

— Hé, Jake a été invité à la fête, lui, d'accord ? Il va se dorer au soleil au bord de la piscine, lui. Il va bien s'éclater, lui. Tandis que moi, son meilleur ami, je n'ai même pas été invité ! Ah ça, pour la justice, Jake est très fort ! Mais alors moi, je te demande : c'est ça la justice ? Non, sûrement pas !

< Marco, Jake m'a dit que la dernière fois que tu avais été invité à une des piscine-parties de Darlene, tu as jeté un petit coussin marron dans la piscine et tu as dit à tout le monde que c'était… enfin tu sais quoi. C'est peut-être pour ça que tu n'as pas été invité. >

– Je devais avoir à peine six ans ! protestai-je. A cet âge… Et puis quoi, c'était rigolo, non ?

< Marco, tu n'avais pas six ans. Tu en avais dix. >

– Et alors ! Qui est-ce qui se souvient encore de ça ?

< Darlene s'en souvient. >

J'ignorai Tobias.

– Tu as fini d'acquérir la souris ? demandai-je à Ax. Si c'est le cas, rends-la à Tobias pour son déjeuner.

< J'ai déjà mangé, merci, fit Tobias. Mais tu ne devrais pas rigoler. Si tu veux aller jouer à la souris, tu ferais mieux de te rappeler quelque chose : il y a des tas d'animaux qui adorent croquer les souris. Nous vivons dans un monde dangereux. >

– Et qui pourrait le savoir mieux que toi, monsieur le prédateur ?

Tobias éclata de rire.

< Même nous, les prédateurs, nous rencontrons

parfois nos propres prédateurs. Ce matin, j'ai vu un aigle à tête blanche se faire attaquer par des geais. Il s'est pris un arbre de plein fouet. Je suppose qu'il en avait après leurs nids. >

– Il ne risque pas d'y avoir d'aigle à cette fête, lui fis-je observer. Le monde des oiseaux, c'est ton problème, mon pote. Moi, j'ai une fille qui m'attend !

< Darlene l'aime, remarqua Ax. Mais elle ne l'Aime pas. >

< C'est bien là tout le drame de Marco >, ricana Tobias.

CHAPITRE 4
Jake

– Ça m'embête quand même d'aller à cette fête, avouai-je. Darlene aurait dû inviter Marco. Il n'aurait pas refait le coup du coussin. Il est bien plus mûr, maintenant. Enfin, à sa façon.

– Je me sens un peu coupable, moi aussi, me confia Cassie.

Elle baissa la voix jusqu'au murmure et approcha sa bouche tout contre mon oreille.

– Mais il me semble bien t'avoir entendu dire que ce week-end, on devrait tous décrocher et vivre un peu comme des gens normaux. Alors j'ai bien l'intention de me laisser vivre normalement.

Nous étions tous les deux en maillot de bain, installés dans des chaises longues. Vous savez, celles qu'on peut régler depuis la position assise jusqu'à la position couchée.

Il y avait quarante ou cinquante jeunes de notre âge autour de la piscine. La famille de Darlene a de l'argent, j'imagine, parce que c'est une très belle piscine.

Il y avait une longue table garnie de chips, de canapés au fromage et d'assiettes anglaises ainsi que des glacières remplies de rafraîchissements sans alcool. La chaîne stéréo hurlait de la musique pas trop mauvaise. Quelques invités dansaient.

Il n'était même pas encore midi, mais le soleil était déjà éclatant. Il allait faire chaud, ça c'était sûr. J'enviais presque Rachel d'être partie à la montagne. Il devait certainement faire plus frais là-haut.

— Ça fait drôle de rester tranquille là, sans rien avoir à craindre, remarquai-je béatement.

Ces mots étaient à peine sortis de ma bouche que j'entendis un cri à vous faire tourner le sang !

— Hiiiiiiiiiiiiiiiiiii !

— Oh ! Oh ! Oh ! Non ! Non ! Non ! Nooooooon ! hurla quelqu'un d'autre.

Je me redressai sur mon fauteuil comme actionné par un ressort. Des ennuis en perspective ! Je perçus la sensation familière d'une montée d'adrénaline. Je jetai un rapide coup d'œil à la ronde, cherchant les issues en cas de fuite, les positions les plus faciles à tenir pour combattre, les endroits où nous pourrions nous dissimuler pour morphoser en vitesse... Les gens couraient.

Non... en regardant plus attentivement, il n'y avait que deux filles qui couraient. C'était elles qui criaient.

– C'est Darlene, dit Cassie, et elle me lança un regard perplexe, inquiet.

– Oh ! Non, non, non ! Éloignez-la de moi ! s'écria Darlene. Éloignez-laaaaa !

Elle se mit à foncer droit vers nous. Elle fuyait comme si tous les chiens de l'enfer étaient à ses trousses.

– Au secours ! hurlait-elle. Elle me poursuit !

– Mais qu'est-ce que c'est ? demandai-je à personne en particulier.

– Des souris ! glapit la fille nommée Tracy. Des souriiiiiis !

C'est alors que je les aperçus : deux minuscules, inoffensives petites souris. Deux petites souris qui pourchassaient Darlene comme un couple de lions lancés aux trousses d'un buffle.

Darlene fit un écart sur la droite. Les souris suivirent son mouvement. Et puis, il se produisit quelque chose de très intéressant. Le garçon qui s'appelait Hans cria :

– Darlene ! Viens par ici ! J'vais les écrabouiller !

Darlene fonça vers Hans qui leva un pied, prêt à écraser les souris dès qu'elles passeraient devant lui. Mais soudain, les rongeurs virèrent brusquement sur leur gauche, contournèrent Hans par-derrière et repartirent comme des bolides à la poursuite de Darlene.

Dès lors, j'en fus sûr. Les souris avaient entendu Hans dévoiler ses intentions. Elles l'avaient sciemment esquivé.

— Les vraies souris ne poursuivent pas les gens, observa Cassie en m'adressant un regard lourd de sous-entendus.

— Non, elles ne font pas ça, acquiesçai-je.

— Marco, murmura Cassie. Et il a dû entraîner Ax dans l'affaire, en plus.

— Je vais le tuer, promis-je. Dès qu'on lui aura sauvé la vie.

Je m'élançai autour de la piscine en courant. Je traversai à toute allure un amas de chaises retournées, de boîtes de soda et d'assiettes en papier, pendant que Cassie passait de l'autre côté.

— Au secours ! Au secours ! hurlait Darlene en détalant vers la porte du patio.

— Hé ! s'exclama Cassie aussi fort qu'elle le put. Ce ne sont que des souris. Il n'y a pas de quoi avoir peur !

Une des bestioles hésita. Marco avait reconnu la voix de Cassie.

– Si ces souris tiennent à la vie, je crois qu'elles feraient mieux d'aller voir Cassie, dis-je en essayant que ça ressemble à une plaisanterie. Sinon, il y a quelqu'un qui va finir par en faire de la chair à pâté !

Et dans ma barbe, j'ajoutai :

– Quelqu'un comme moi…

< J'ai entendu >, me dit Marco en parole mentale.

J'entendais parfaitement ce qu'il me disait. Mais tant que je n'étais pas moi-même dans une animorphe, je ne pouvais pas répondre. C'était sans doute préférable. Parce que j'aurais pu prononcer des mots que je ne devrais pas employer.

C'était un complet bazar ! Quarante jeunes gens couraient en tout sens comme de parfaits imbéciles. La moitié courait pour échapper aux souris, l'autre moitié courait à la poursuite des souris. Et le tout faisait un vacarme infernal.

– Venez ici, petites souris, fit Cassie d'une voix forte.

Nous nous efforcions de faire comprendre à Marco qu'il devait se diriger vers Cassie. Je savais qu'il pouvait nous entendre. Les souris ont une ouïe excellente.

Mais, soit Marco n'avait pas compris, soit il avait décidé qu'il n'en avait pas assez de pourchasser Darlene.

– Aaaaahhh ! fit Darlene qui, à l'évidence, n'en avait pas assez de hurler comme un putois.

Elle atteignit la porte du patio. Sans cesser de hurler, elle disparut à l'intérieur de la maison.

Marco arriva derrière elle comme un petit bolide, suivi de près par Ax.

< T'inquiète pas, l'entendis-je m'expliquer en parole mentale quelques secondes plus tard. On est au sous-sol. On va démorphoser. Assure-toi juste que personne ne descende pour chercher les souris. >

– Oh, non !... grondai-je, avant de foncer vers la porte du patio.

Shpoum !

Je percutai Hans avec une violence indiscutable et nous sommes allés tous deux rouler sur le sol. Pas moins de huit personnes vinrent à leur tour s'écraser contre nous, les uns après les autres. Ça ressemblait à une mêlée de rugby ou de football américain. Nous étions tous entassés les uns sur les autres, hurlant, gloussant, poussant et tirant pour tenter de dégager nos membres emmêlés.

Mais vu ce qui s'est passé ensuite, ce télescopage m'a sauvé la vie.

Je pris une profonde inspiration et m'efforçai de me relever, quand le ciel s'assombrit au-dessus de nous.

Ce fut si soudain et si intense que chacun s'immobilisa.

Je regardai en l'air. Le soleil était caché derrière un nuage de poussière tourbillonnant. Ça ressemblait à une sorte de tornade. Une tornade au milieu d'un ciel sans nuage.

J'éprouvai une horrible sensation de terreur au fond de mes entrailles.

Le nuage de poussière se solidifiait.

En l'espace de quelques secondes, il prit une forme. Une forme que nul n'avait jamais pu voir sur la planète Terre.

Et puis la forme passa à l'attaque.

CHAPITRE 5

Marco

D'accord, d'accord. C'était peut-être un peu immature de m'incruster en souris chez Darlene. Mais vous n'avez pas entendu ce qu'elle avait dit de moi !

Ax et moi, on a morphosé dans une parcelle de terrain non construite, pas loin de chez elle. Il faut vous dire que, quand on morphose, on ne se contente pas de prendre le corps de l'animal. On récupère aussi son cerveau. Et la plupart des cerveaux d'animaux sont le siège de divers instincts. La faim, en général. Et aussi la peur.

La souris disposait des deux en quantité. Elle était franchement obsédée par la nourriture. Et c'était une petite bête terriblement craintive. Ça se passe souvent comme ça lorsque vous morphosez pour la première fois dans une nouvelle espèce. A peine Ax et moi avions-nous achevé de nous transformer en souris, que nous avons été brutalement submergés par ses instincts.

Cours ! Cours ! Cours ! Cours ! La souris n'aimait pas se retrouver exposée à découvert, en pleine lumière. Elle avait peur des prédateurs. Vraiment très peur.

Cours ! Cours ! Cours ! Cours !

Alors, nous avons couru. Imaginez un peu ; une minute plus tôt, vous êtes un humain normal en train de penser : «Ouah ! c'est tout de même dingue de rétrécir comme ça, d'avoir une queue qui te pousse au derrière et des longues moustaches sur le museau !» Et, dans la minute qui suit, le cerveau de cette souris se déchaîne tout d'un coup, et vous vous retrouvez excité comme si vous aviez bu une bonne centaine de tasses de café et avalé une tonne de vitamine C, ce qui vous remplit, vous pouvez me croire, d'énergie !

< Je n'arrive pas à contrôler cette créature ! hurla Ax. Elle est folle ! >

< Laisse-la faire, lui conseillai-je. Elle finira par se calmer. >

Il faut que je vous dise : les souris foncent comme des folles sur leurs toutes petites pattes. C'était comme si nous étions sanglés sur l'aileron avant d'une Formule 1.

Zoooom !

Nous foncions donc à toute allure, filant telles deux flèches, terrifiés parmi des brins d'herbe épais comme des arbres, des cailloux gros comme des ballons de plage et des insectes grands comme des caniches. Enfin, tout ça, j'y étais habitué. J'avais déjà morphosé en de petits animaux auparavant.

Mais ce qui était franchement dégoûtant, c'est que j'avais vraiment très, très envie de m'arrêter pour avaler quelques-uns de ces insectes !

Par exemple, on est passé devant une espèce de scarabée couvert d'une carapace noir bleuté, et le cerveau de la souris a fait quelque chose comme : « Super, une friandise ! »

Heureusement, elle était plus terrifiée qu'affamée, si bien qu'on a continué de cavaler comme des cinglés et que j'ai vite perdu l'odeur du scarabée. Pour finir, on a réussi à contrôler à peu près nos bestioles.

< Ax ? Ça va, mon pote ? > lui demandai-je en parole mentale.

< Je vais bien. Mais ces souris ont des instincts très puissants ! >

< Ouais. C'est des p'tites choses plutôt craintives, pas vrai ? >

< Les animaux développent leurs instincts pour de bonnes raisons, fit observer Ax d'une voix sinistre. Si la souris est aussi prudente, c'est qu'elle doit avoir de sérieuses raisons. >

< Eh bien, si on voit des chats, on n'aura qu'à démorphoser, tout simplement >, répliquai-je.

< Oui. Si nous vivons assez longtemps pour pouvoir le faire. >

En tout cas, nous sommes arrivés en trottinant à la fête, comme deux petites souris venant passer un bon moment.

Fort heureusement, ces petites bêtes sont pourvues de sens remarquables. Leur ouïe est excellente. Leur odorat aussi. Leur vue est correcte, mais il est difficile de voir grand-chose quand vous mesurez à peine trois centimètres de haut et que votre figure est au ras du sol.

Néanmoins, je pus repérer Darlene en me guidant au son de sa voix. Elle discutait avec ses amis de tous les trucs habituels : école, musique, un quelconque beau garçon vu à la télé. Je me suis caché avec Ax sous son siège, si bien que je pouvais tout entendre parfaitement bien.

Mais tout ce que je pouvais voir d'elle, c'était

l'énorme voûte formée par sa chaise au-dessus de ma tête : de gigantesques bandes de plastique tendues à craquer, bombées comme si elles étaient sur le point de céder et de m'écrabouiller. Un peu plus loin, je pouvais apercevoir ses jambes, qui ressemblaient à deux monstrueux piliers roses.

< Mouais, c'est pas vraiment intéressant >, confiai-je à Ax.

< Qu'est-ce que tu espérais ? >

< J'espérais qu'ils parlent de moi, évidemment ! >

Et soudain, l'idée jaillit dans mon esprit : je pouvais utiliser la parole mentale sur Darlene ! Il suffisait que je dise le mot « Marco » dans sa tête. Elle ne pourrait pas savoir d'où il venait. Elle se dirait sans doute que quelqu'un l'avait prononcé à haute voix. Avec la parole mentale, vous pouvez faire en sorte que tout le monde vous entende, ou bien vous débrouiller pour atteindre une personne en particulier.

< Marco >, fis-je.

– Quoi ? demanda Darlene. Qu'est-ce qu'il y a avec Marco ?

– Ben, y a rien avec Marco, répondit une fille qui s'appelle Kara.

– Tant mieux, parce que je ne veux même pas

entendre prononcer ce nom à ma fête. Je ne veux plus entendre parler de ce pauvre type ! Enfin, quoi… après ce qu'il a fait ici ! Jeter un coussin dans ma piscine ? Semer le bazar parmi tous mes invités ?

– Il est tellement immature, estima une fille nommée Hélène.

– Même pas, corrigea Darlene. Il se prend pour le type le plus cool et le plus mignon du monde, mais c'est tout le contraire ! Il passe son temps à sortir des blagues vaseuses sur des trucs qui ne sont même pas drôles.

Bon. Je pouvais supporter de les entendre dire que j'étais immature. C'est ce que les filles disent toujours. Mais oser prétendre que je n'étais pas drôle !

J'allais leur montrer si je n'étais pas drôle. Ah ça, oui ! Je m'élançai et fonçai en direction des jambes. Ax me suivit en criant :

< Mais qu'est-ce que nous faisons ? >

< On va juste voir à quel point le sens de l'humour de Darlene est étendu >, lui fis-je.

Je courus vers l'énorme jambe rose qui se dressait devant moi. Je vis le pied qui écrasait le gazon de tout son poids. Tel un bolide, je contournai son talon, qui était comme un mur à mes yeux, et je fonçai sur ses orteils.

Je veux simplement vous signaler que Darlene est persuadée qu'elle est parfaite en tout. N'empêche que la taille de ses ongles de pied laisse vraiment à désirer !

Lancé à pleine vitesse, je passai carrément sur son pied, puis tournai furieusement autour de sa cheville pour revenir sur ses orteils.

< Yiiiaaah ! hurlai-je à l'intention d'Ax. Ça lui donnera une autre bonne raison de se plaindre ! >

– Oh ! Oh ! Ouaaaaaaahhhhh ! hurla Darlene. Et le pied jaillit dans les airs !

Je bondis sur le sol juste à temps.

Et aussitôt, elle se mit à tourner en rond, piaillant et geignant telle une parfaite andouille garantie d'origine.

Naturellement, je m'élançai à sa poursuite. Et naturellement, Ax vint avec moi.

C'était le délire le plus total, le délire absolu ! Bon, d'accord, je suis désolé, je sais que c'était pas bien du tout, et tout ça. Mais franchement, je vous dis pas le délire que c'était !

Enfin, jusqu'au moment où j'ai entendu Hans beugler qu'il allait m'écrabouiller. Ça, ça n'allait pas du tout. Je n'avais pas l'intention de me laisser aplatir sous les gros pieds puants de Hans.

J'entendis alors la grosse voix de Jake. Puis celle, plus douce, mais non moins furieuse, de Cassie.

< Oh, là là ! c'est Jake, avertis-je Ax. On est faits ! >

Je détalai vers un quelconque abri, cherchant un endroit où nous pourrions démorphoser. De gros pieds menaçants s'abattaient tout autour de moi. D'accord, ils n'étaient pas rapides, mais je vous jure qu'ils étaient vraiment gros ! Tout le monde en faisait franchement trop. J'avais envie de leur dire : « Hé, les gars, laissez-moi souffler deux minutes, quoi ! Je mesure moins de six centimètres de long ! Comment est-ce que je peux vous faire peur ? »

C'est alors que l'idée a jailli dans mon esprit. La maison ! On pouvait entrer à l'intérieur, filer dans le sous-sol où il n'y aurait sans doute personne, démorphoser vite, mais alors très vite, et puis... Bon, et puis, on se retrouverait là, mon ami Andalite et moi. Super. Ça n'aurait pas l'air trop bizarre. Enfin, presque.

< Ax ! Reste avec moi. On va devoir démorphoser. Et puis il faudra que tu reprennes ton animorphe humaine aussi vite que possible, d'accord ? >

< Marco, j'ai le sentiment que tout ceci n'était pas une bonne idée. >

< Mais non ! Tout se déroule conformément au plan. >

Zoom ! nous avons filé à travers le patio ! Zoom ! nous avons continué à l'intérieur de la maison ! Zoom ! j'ai frôlé une Darlene hystérique, allongée sur le canapé avec un coussin sur la figure… Zoom ! nous avons filé le long de la moquette jusqu'au moment où nous sommes arrivés sur du carrelage.

Et nous avons pu sentir l'odeur d'un lieu sombre. Celui que les souris préfèrent ! Eh oui, ça allait marcher !

Nous avons traversé une marche en courant et nous avons sauté dans le vide, pour… tomber… tomber… Ploc ! sur la marche suivante. Et recommencer, marche après marche, à une vitesse pratiquement supersonique !

C'était vraiment très cool ! Si, bien entendu, on voulait bien mettre de côté le fait que toute cette histoire était un peu stupide.

< T'inquiète pas, prévins-je Jake en parole mentale. On est au sous-sol. On va démorphoser. Assure-toi juste que personne ne descende pour chercher les souris. >

Nous avions semé nos poursuivants. Personne ne

nous avait suivis dans l'escalier. Et, tout en continuant à courir, je commençai à démorphoser.

J'étais parvenu à mi-chemin de mon aspect humain, ce qui donnait un étrange mélange de queue de souris, de grandes oreilles et de jambes humaines, bref une créature positivement abominable. Ce à quoi aurait pu ressembler Mickey Mouse s'il avait été créé par Stephen King. Quant à Ax, c'était encore pire : un mélange de souris et d'Andalite !

Et au moment même où je me disais : « Ben voilà, tout va bien se passer mainte... », le monde entier a explosé autour de nous.

CRRRRRRRAAACK !

Les rayons du soleil ont inondé la cave ! Le toit de la maison avait été entièrement arraché ! La totalité du toit !

Des débris de charpente, des bouts de bois et de poutres, des morceaux de béton éclataient, se déchiraient et tombaient sur le sol. Je n'arrivais même pas à comprendre ce qui se passait. En fait, tout ce qui m'entourait était en train d'être déchiqueté. Déchiqueté, comme si quelqu'un s'amusait à passer l'univers entier à la moulinette !

C'est alors que je l'ai vue. Elle était gigantesque !

Énorme ! Une créature qui ne semblait faite que de crocs, de pointes et de lames, une créature qui détruisait tout sur son passage. On aurait dit une vingtaine de Hork-Bajirs accolés qu'on aurait pourvus d'une immense paire d'ailes de dragon.

BRAAAKRROINNK !

Cette chose détruisait la maison avec une énergie invraisemblable.

Le vacarme était affolant. Le gémissement du bois déchiré. Le fracas du béton arraché et broyé. Arraché et broyé comme si c'était de la terre cuite ! Les tuyaux de plomberie tordus comme du chewing-gum. Les fils électriques qui grésillaient, crépitaient et explosaient dans des gerbes d'étincelles.

– Fais gaffe ! hurlai-je à Ax avec ma voix à nouveau humaine.

Des poutres s'effondraient autour de nous. Des éclats de bois fendaient l'air en tous sens.

C'est à peine si je remarquai que j'avais fini de démorphoser. J'étais à nouveau humain. Ax avait réussi, je ne sais comment, à rester concentré et il avait achevé son animorphe humaine.

Autrement dit, nous étions sans défense. Deux gamins dépourvus de la plus petite arme.

Au-dessus de nos têtes, là où, quelques secondes plus tôt, il y avait une maison, la silhouette incroyable de la bête se découpait devant le soleil.

Elle braquait sur nous les regards d'une vingtaine d'yeux étranges qui semblaient disposés çà et là au hasard. Elle nous fixait de la même façon que j'avais vu Tobias fixer sa proie.

Elle allait nous massacrer. Ça ne faisait aucun doute dans mon esprit. Vraiment aucun.

– Oh, mon vieux, gémis-je. J'aime pas ça.

Alors… tous les yeux de la bête battirent ensemble. Elle parut indécise. Et, à mon immense soulagement et à mon intense stupéfaction, la chose commença à se désagréger. Elle retourna à l'état de poussière. Elle redevint un simple nuage qui se dispersa rapidement avant de disparaître.

Je tremblais si fort que je ne pouvais pas tenir debout. Mais j'étais vivant.

CHAPITRE 6
Rachel

Je m'éveillai.

J'étais sur le dos, couchée sur un tapis d'aiguilles de pin et de feuilles sèches et craquantes. Je regardais vers la cime des arbres. Le soleil brillait à travers les branches et leur feuillage.

Ma première pensée fut : « Qu'est-ce que je fais là ? »

Je n'avais pas la moindre idée de la façon dont j'étais arrivée dans cette forêt. Ni de quelle forêt il pouvait s'agir.

– Qu'est-ce que je fais ici ? me demandai-je à haute voix cette fois.

Mais les mots étaient déformés, mutilés. Ils ressemblaient plus à des sortes de crissements qu'à de véritables mots.

Je frissonnai. De peur.

Qu'est-ce qui se passait ? Qu'est-ce qui se passait ?

Qu'est-ce que je faisais là ? Pourquoi est-ce que je n'arrivais pas à parler ?

Je n'aurais pas dû être là. J'aurais dû être... où ça, déjà ? Où est-ce que j'aurais dû être ? J'essayai de me concentrer. Comment étais-je arrivée ici ? Où étais-je, auparavant ? Où... d'où est-ce que je venais ?

Mais aucune réponse ne venait. Rien ! J'étais incapable de me souvenir comment j'étais arrivée là. Incapable de me souvenir d'où je venais. Incapable.

Et soudain, je pris conscience de la chose dans un accès de terreur si brutal que mon cœur s'arrêta de battre quelques instants : je ne savais pas qui j'étais. J'ignorais mon propre nom.

J'essayai de m'asseoir. Et c'est alors que je vis...

– Yyyaaaaaaaahhhhhhh ! ai-je hurlé d'une voix bizarre, haut perchée.

Mes jambes... elles étaient moulées dans un justaucorps noir, et je pouvais voir que, dans leur partie supérieure, elles avaient la forme de jambes humaines ordinaires. Mais leur partie inférieure avait une tout autre forme. Et au bout du justaucorps à la place des pieds, surgissaient de gigantesques serres !

Je regardai mes mains. Cinq doigts. Cinq doigts

humains, mais ils étaient hérissés de plumes. Il y avait des plumes qui sortaient de ma peau !

Je palpai mon visage. De la peau. De la peau sur mes joues et sur mon cou. Mais ensuite, mes doigts hérissés de plumes remontèrent jusqu'à ma bouche.

C'était un bec ! Un bec dur, acéré.

C'était un cauchemar ! C'est ça, je faisais un cauchemar ! Il fallait que je me réveille. Il fallait que je sorte de ce rêve.

— Aaaaaahhhhhh ! hurlai-je encore.

Et le son inhumain de ma propre voix m'effraya encore plus.

Je ne devais pas céder à la panique. Il fallait contrôler mes nerfs. Il le fallait. Il le fallait... mais, mes jambes ! Mon visage ! Mes mains !

« Ne panique pas, m'ordonnai-je. Tu ne paniques pas. Tu ne paniques pas ! Tout ceci n'est pas réel. »

Et pourtant je sentais les aiguilles de pin sous mes fesses. Et la chaleur du soleil dont les rayons passaient entre les branches des arbres. Tout ça semblait on ne peut plus réel.

Est-ce que j'étais donc comme ça depuis toujours ? Est-ce que j'étais une sorte de monstre ? Mi-oiseau, mi-humain ?

Non. Je savais que c'était faux. Et je savais que les gens ne devenaient pas des oiseaux. Et pourtant, j'étais là, avec des plumes et un bec, et je ne savais plus du tout qui j'étais. J'avais l'air d'une abominable créature qui se serait arrêtée à mi-chemin de sa transformation d'oiseau en humain, ou vice versa.

Est-ce que c'était ça ? Est-ce que je m'étais retrouvée dans un tel processus de transformation ? Et à quelle espèce appartenais-je réellement : aux volatiles, ou aux humains ? Qui étais-je ? Quelle créature étais-je ?

« Allons, m'ordonnai-je. Ressaisis-toi. Ressaisis-toi ! »

Mais je sentais tous les hurlements que je réprimais se bousculer sauvagement pour essayer de sortir. J'aurais pu hurler, hurler et encore hurler jusqu'à la fin des temps.

« Non. Non ! Commence comme ça et tu ne pourras plus t'arrêter, songeai-je. Sers-toi de ta tête. Réfléchis. »

Je m'efforçai de rassembler mes souvenirs, mais c'était comme si la moitié de mon cerveau était perdu dans un épais brouillard. Si épais que j'étais incapable de le percer, quelle que soit la façon dont je m'y prenne.

« Tu es un être humain, me raisonnai-je silencieusement. Tu es un être humain, pas un oiseau. Et si tu as pu te transformer à ce point, tu peux peut-être te transformer encore plus. »

Je fermai les yeux. Je voulais me concentrer, et je ne voulais pas voir mon corps. La terreur m'habitait, elle faisait s'entrechoquer mes os, elle me tordait les entrailles.

J'étais un être humain. Je voulais être totalement humaine. Humaine à nouveau.

Alors... je commençai à ressentir des changements. J'ouvris les yeux. Et je vis, les serres se racornir, se déchirer et devenir des orteils.

C'était un spectacle innommable. Il me rendit malade. Mais à ce moment je réalisai quelque chose. Dès que je perdais ma concentration, la transformation s'arrêtait. Voilà ! Ce devait être ça ! Je devais être en train de me transformer, et quelque chose avait brisé ma concentration. Je ne pouvais pas rester dans l'état où j'étais. C'était un cauchemar ! Il fallait en finir !

Je sentis une ombre passer devant le soleil. Je me dis que c'était un nuage. Ce n'était pas le moment de me laisser distraire.

Je me concentrai à nouveau. Humaine. Je voulais être humaine. Je sentis les plumes se mêler avec ma peau. Je sentis mon bec se changer en douces lèvres. Le soleil était très faible, à présent. Quelque chose l'obscurcissait. Je frissonnai. Je regardai en l'air.

Juste au-dessus des arbres, un nuage de poussière tournoyait follement, un peu comme une tornade apla-tie. Il tournoyait et se concentrait.

Un nuage de poussière. Mais en fait, pas vraiment un nuage de poussière. Pas vraiment.

Tandis que je le regardais, j'ai eu une sensation affreuse. La sensation que ce nuage qui tournoyait, s'épaississait, était en train de m'épier. De m'observer. De se concentrer sur moi.

Mais je ne pouvais pas me permettre de me laisser distraire ! Je n'étais pas encore totalement humaine. Et je voulais à tout prix l'être à nouveau. Parce que peut-être… peut-être qu'une fois redevenue humaine, je me souviendrais qui j'étais.

CHAPITRE 7
Tobias

J'ai vu un tas de choses étranges depuis ce fameux soir où nous avons traversé le chantier abandonné où le prince andalite avait posé son vaisseau endommagé.

Jusqu'alors, je n'étais qu'un adolescent. Un gamin. Un petit imbécile, j'imagine. Ça devient difficile de me souvenir. Mais oui, je crois que j'étais un petit nul. Je me souviens que j'ai fait la connaissance de Jake parce qu'il est intervenu pour me sortir des pattes d'une bande de minables qui voulaient me fourrer la tête dans la cuvette des toilettes, au collège.

Oui, mais bien des choses ont changé depuis.

J'ai fini par me faire à l'idée de ce que je suis désormais devenu. J'ai admis le fait que je ne suis plus entièrement humain. Mais je ne suis pas entièrement faucon non plus.

Ainsi que je le disais, j'ai vu des choses étranges. Mais jamais rien d'aussi bizarre que ce que j'ai vu ce matin alors que je planais dans les courants thermiques, plus de mille cinq cents mètres au-dessus de la maison de Darlene.

Pour tout vous dire, je faisais de la surveillance. C'est entre autres ma façon d'aider mes amis. Marco ne m'avait pas demandé de l'accompagner pour protéger sa ridicule petite escapade, mais je m'étais dit que ça ne pourrait pas faire de mal. En outre, j'avais déjà mangé. Un petit serpent, une friandise rare, pour moi. En fait, je n'avais rien d'autre à faire que de trouver un bon thermique et de me laisser porter.

Un courant thermique est un courant d'air chaud dirigé vers le haut. Il vous suffit de déployer vos ailes et il vous soulève comme un ascenseur. Arrivé en altitude, vous pouvez rester et flotter sur l'air chaud pour l'éternité, si ça vous chante. C'est à peine si vous devez battre des ailes de temps à autre.

Donc, j'étais arrivé très haut. Assez pour voir tout ce qui se trouvait entre la lisière des bois, au sud, et le centre-ville, quelques kilomètres plus loin. Mais je restais néanmoins assez bas pour être capable de surveiller Marco et Ax pendant qu'ils morphosaient.

Ils détalèrent dans tous les sens comme des fous furieux jusqu'à ce qu'ils parviennent à maîtriser leurs cerveaux de souris. Puis, lorsqu'ils en eurent pris le contrôle, ils se dirigèrent droit vers la maison de Darlene.

Marco est un gars extrêmement intelligent. Je ne sais pas si Ax est intelligent pour un Andalite, mais il l'est vraiment selon les critères humains. Mais aucun d'eux ne semblait réellement comprendre à quel point il est dangereux pour une souris de se retrouver au milieu d'une pelouse en plein soleil !

Dans le genre, vous pourriez tout aussi bien vous attacher d'épais steaks saignants sur les jambes avant d'aller vous balader au milieu d'une meute de loups... Les faucons tuent les souris. Les chats aussi. Et laissez-moi vous dire que, s'il y a deux catégories d'animaux dont personne n'aimerait être la proie, ce sont bien les faucons et les chats !

Du haut du ciel, j'observai un gros chat tigré qui les avait repérés. Mais je suppose qu'il avait bien mangé, ou qu'il se sentait trop bien au soleil et qu'il avait la flemme de s'agiter. Le chat les laissa donc passer sans remuer une moustache.

Je vis aussi un épervier qui les avait aperçus. Lui, il

avait manifestement décidé d'avoir de la souris au menu de son déjeuner. Je lui fis comprendre qu'il lorgnait sur mes proies et il battit en retraite. Heureusement, j'étais plus gros que lui, et il n'avait pas assez faim pour se battre.

Je vis Marco et Ax rejoindre la fête de Darlene, et je me détendis. S'ils ne se faisaient pas marcher dessus, ils s'en sortiraient probablement. Malgré tout, le spectacle de la fête me rendit un peu triste. Ils semblaient tous bien s'amuser. Ils sautaient dans la piscine, couraient autour, poussaient des grands cris et discutaient tous ensemble.

C'était un tout autre univers que celui dans lequel je vivais. J'avais les autres Animorphs et Ax pour amis. Mais je n'avais aucun ami semblable à moi-même. Les faucons ne se réunissent pas et ne font pas de fêtes ensemble. Tout au plus, lorsqu'un faucon en voit un autre, cela signifie des problèmes, une bagarre pour le territoire.

Là-dessous, je vis Marco en souris qui pourchassait une fille.

« C'est pas vrai ! pensai-je. Je ne trouve même pas ça étrange. »

La fille se réfugia à l'intérieur de la maison. Marco

et Ax la suivirent, entraînant dans leur sillage un groupe d'invités, dont l'un était visiblement Jake.

C'est alors que je commençai à voir quelque chose de bizarre. Une sorte de tornade de poussière. Enfin, c'est à ça que ça ressemblait. Comme les petits tourbillons de poussière qu'on voit parfois se lever dans le désert. Ça tournoyait comme une véritable tornade. J'étais fasciné parce que tout ce qui touche au vent est d'une extrême importance pour moi. Quelquefois, le vent signifie la vie ou la mort pour un faucon.

La tornade devenait de plus en plus épaisse. Solide. Je concentrai toute l'acuité de mes yeux de faucon pour en examiner les moindres détails. Je fis pivoter mes ailes et plongeai en piqué pour mieux voir.

Et alors, je vis… que ce n'était plus du tout un nuage de poussière. C'était une créature vivante ! Une bête faite de gueules hérissées de crocs, de griffes et de lames tranchantes !

Elle plongea sur la maison, la faisant voler en éclats comme si elle était construite en Lego. Elle semblait broyer la brique, le bois et les tuiles sur son passage. C'était comme voir un broyeur à ordures réduire une carotte en miettes.

Les jeunes invités hurlaient. Ils couraient dans tous les

sens. Tout à coup, la moitié de la maison disparut. Elle disparut tout bonnement, si bien que je pus voir jusqu'au sous-sol. Voir Marco, à nouveau humain, et Ax dans son animorphe humaine.

Je plaquai mes ailes contre mon corps et piquai telle une fusée. Peut-être pouvais-je faire diversion pour détourner la bête ?

Et puis, sans raison apparente, elle commença à se dissoudre.

Je stoppai brutalement mon piqué à quelque trente mètres de hauteur. Marco avait l'air si soulagé qu'il semblait pratiquement sur le point de tomber dans les pommes. Quant à Ax, il n'avait pas précisément l'air ravi. Enfin, ils étaient vivants. Et Jake et Cassie ? Ils regardaient tous deux le ciel avec horreur.

La bête de poussière se dissolvait à nouveau pour former un nuage. Après quoi, aucun œil humain n'aurait rien pu voir. Mais je n'avais pas des yeux humains. Je vis le nuage de poussière se disperser. Mais je vis aussi le flot de ses particules se diriger vers la forêt.

Elles se déplaçaient à une vitesse ahurissante. Mais elles n'étaient pas poussées par le vent, ça j'en étais sûr.

Elles avançaient par leurs propres moyens. Terriblement vite, en direction de la forêt.

CHAPITRE 8
Rachel

« Humaine. Sois humaine ! »

Je me concentrai de toutes mes forces sur cette seule pensée. Je fermai les yeux et essayai de me rappeler qui j'étais. A quoi je ressemblais.

Je sentis mon corps se transformer. C'était une sensation horrible. Je pouvais entendre mes os craquer. Je fus pris d'une brusque nausée lorsque mon estomac humain se reforma. J'étais parcourue de démangeaisons infernales à mesure que ma peau absorbait les plumes. Est-ce que tout ça m'était déjà arrivé ? Ça semblait inimaginable. C'était dégoûtant. Monstrueux.

J'ouvris les yeux.

Là ! Juste au-dessus de moi ! Qu'est-ce que c'était ?

Des gueules garnies de crocs acérés ! Des yeux, des tas d'yeux braqués sur moi ! Des membres tranchants comme des lames qui tournoyaient !

Et c'était moi que cette chose voulait !

Est-ce que je devais m'envoler ? Est-ce que je devais courir ? Qu'est-ce que j'étais ?

Je me levai d'un bond, en espérant que j'avais des jambes. Oui ! Je pouvais courir. Oui ! Je courais. Je courais ! Mes pieds nus filaient sur le sol, m'entraînant à toute vitesse. Des pieds humains. Mes bras se balançaient en cadence, mais ils semblaient toujours bizarres. Les os n'étaient pas bien raccordés. Mais je courais ! Sur les aiguilles de pin qui transperçaient la tendre plante de mes pieds.

CRRAAAACKKK !

La chose était derrière moi ! Elle venait de dévorer un tronc d'arbre d'un mètre cinquante de diamètre qui lui barrait la route. Elle l'avait absorbé presque sans ralentir, en laissant juste quelques éclats et un tas de sciure derrière elle.

– Non ! hurlai-je.

Et cette fois, ma voix était presque humaine.

– Non ! Non !

Elle me pourchassait. Elle voulait me tuer. Et pourquoi ? Pourquoi ? Qu'est-ce que j'avais fait ? Qui étais-je donc pour que ce monstre veuille me détruire ?

Je fonçai aussi vite que j'en étais capable, mais le

monstre était plus rapide. Il déracinait les arbres qui lui barraient le passage. Derrière lui, le sol de la forêt semblait avoir été labouré par une gigantesque charrue. Les hurlements de la destruction m'entouraient de toutes parts.

Mais que m'arrivait-il ?

– Au secours ! m'écriai-je.

Et cette fois, ma voix était vraiment humaine. Les ultimes transformations étaient en cours. Mes bras se balançaient en rythme, à présent. Quand je louchais, mes yeux se croisaient sur un nez normalement humain. Le bec avait disparu.

Mais la bête, elle… la bête ! Elle était sur moi !

Tout à coup, une route ! Des voitures qui défilaient à toute allure ! Je courus vers la route. La bête me poursuivait toujours, ouvrant une large tranchée à travers la forêt. Les voitures passaient à toute vitesse. Si je m'aventurais sur la chaussée, elles allaient m'écraser. Si je m'arrêtais, la bête allait me dévorer.

Je courus.

VVRAAOUMMM ! Une voiture me frôla, m'évitant de quelques dizaines de centimètres. Six voies ! Une autoroute ! Je courus, espérant survivre contre tout espoir.

Des Klaxon ! Des Klaxon rugissants !

Un camion.

La bête.

Elle heurta le camion, ou bien c'est lui qui la heurta. Je ne sais pas.

La cabine du poids lourd était toute cabossée. J'eus la vision fugitive du chauffeur qui hurlait, tout en manœuvrant désespérément son large volant. Puis, la remorque, sur laquelle on pouvait lire en grosses lettres : « Ben & Jerry – les glaces qui vous sourient », vint s'écraser de plein fouet contre la bête de poussière. Crissements des freins, hurlements des pneus sur l'asphalte ! Et puis… BLAM !

Je trébuchai et vins m'étaler sur le terre-plein central de l'autoroute. Je roulai le long d'une pente herbeuse pour me retrouver dans un fossé rempli d'eau sale. Je relevai la tête juste à temps pour voir le camion se renverser et dévaler sur le flanc le côté de l'autoroute en soulevant de formidables gerbes d'étincelles.

Quant à la bête, elle détruisait la remorque. Elle la mettait en pièces ! De la glace, sous toutes ses formes, explosait alentour comme des grenades à main. Je me retrouvai bombardée par une pluie d'Esquimau, de cornets et de pots…

La bête se dégagea du camion ravagé. Le chauffeur s'extirpa de la cabine et s'enfuit en courant.

Lorsqu'elle s'éleva dans les airs, une centaine d'yeux cruels balayèrent les alentours. Ils me repérèrent. Ça ne faisait aucun doute, la bête m'avait vue. Mais ses yeux semblaient troublés. Ils paraissaient perdus. La bête m'avait vue, mais elle ne m'avait pas reconnue.

Soudain, alors que je me recroquevillais dans le terre-plein de l'allée centrale, elle entreprit tout simplement de se dissoudre en un nuage de poussière. De se dissoudre avant de s'envoler dans le lointain.

La circulation s'était arrêtée sur les six voies de l'autoroute, tout le monde ayant baissé ses vitres pour se délecter du spectacle d'un semi-remorque renversé au milieu de la chaussée.

Je remontai d'un pas mal assuré le fossé central. Je tremblais si violemment que j'arrivais à peine à me tenir debout. J'étais trempée, couverte de boue, pieds nus, et j'étais vêtue d'un justaucorps noir. Je traversai la route d'un pas mal assuré pour chercher refuge dans la forêt.

Un homme avec un Caméscope sortit de sa voiture et commença à filmer l'accident. Le hurlement d'une sirène retentit au loin.

Moi, je voulais simplement m'en aller. Qui que je fus.

CHAPITRE 9
Cassie

— **U**ne tornade, tu parles ! grogna Marco d'un ton hargneux. Ce truc était vivant.

Nous regardions la télé dans mon séjour. Jake, Marco, Ax dans son animorphe humaine et moi, Cassie. C'était l'après-midi. Mes parents n'étaient pas encore rentrés, si bien que nous étions en sûreté et que nous pouvions parler librement.

Les actualités retransmettaient un reportage spécial. Ils avaient interrompu un débat pour montrer les images de ce qu'ils décrivaient comme une tornade monstre. Ils montraient ce qui restait de la maison de Darlene. Le journaliste se tenait au bord de la piscine, là où la fête avait eu lieu. A l'arrière-plan, on pouvait voir Darlene et ses parents qui fouillaient dans les décombres.

— La tempête s'est abattue en fin de matinée, juste

avant midi, annonçait le reporter. Quelques jeunes gens participaient à une piscine-partie, et ils ont décrit une sorte de nuage en forme d'entonnoir qui serait apparu assez soudainement dans un ciel dégagé. Certains des jeunes gens présents ont affirmé qu'il ressemblait à un monstre ou une bête horrible. Mais, bien entendu, il faut tenir compte du fait qu'ils étaient passablement choqués et effrayés à ce moment.

– Ils étaient verts de trouille, ça c'est sûr, marmonna Marco. Ils faisaient dans leur culotte. Je sais, je sais.

– La maison a été presque entièrement détruite, continua l'envoyé spécial. Mais miraculeusement, on ne déplore qu'un petit nombre de blessures sans gravité. Quelques jeunes gens ont des écorchures et des coupures légères. Quant aux propriétaires, ils avaient souscrit une bonne assurance.

– Ça, c'est une bonne chose, observa sèchement Marco. Parce que là, je crois qu'il va falloir un peu plus qu'une nouvelle couche de peinture...

– Et maintenant, allons voir sur l'autoroute où la même tornade, ou peut-être une deuxième tornade, a détruit un semi-remorque, bloquant la circulation durant des heures.

Sur l'écran, on vit apparaître un camion frappé du logo du fabricant de glaces Ben & Jerry qui semblait avoir été soufflé par une bombe de forte puissance.

Tout à coup, je vis quelque chose qui m'était familier.

– Eh ! Regardez ! m'écriai-je.

– Quoi ? demanda Jake.

– Trop tard. Est-ce qu'on a enregistré ça ?

– Ouais, répondit Marco. Qu'est-ce que c'est ?

– Renvoie la bande en arrière. Retourne en arrière.

Marco fit reculer la bande. Je vis le film se dérouler à l'envers, l'arrivée des secours, puis...

– Là ! C'est là ! m'écriai-je. Cette fille, vous la voyez ? Elle ne reste qu'une seconde dans le champ de la caméra. Est-ce que tu peux t'arrêter juste sur elle ?

– Pourquoi ? s'étonna Jake. Qu'est-ce qu'il y a ?

Marco revint en arrière, puis il fit avancer la bande image par image. Une silhouette floue fit son apparition. L'image se figea.

– Quel est le problème ? demanda Ax. Pro-blème ? Blème ?

Ax est parfois bizarre quand il est dans une animorphe humaine. Le fait d'avoir une bouche et d'être capable de produire des sons le fascine tout simplement.

— Regardez cette fille, insistai-je. Grande. Blonde. Pieds nus. Vêtue d'un justaucorps noir.

Les yeux de Jake s'arrondirent et il prit un air stupéfait. Marco fit de même.

— Oh mon Dieu ! s'exclama Marco. C'est, c'est Rachel ! Ça ne peut être qu'elle !

— Elle devait juste avoir fini de morphoser, fis-je remarquer. Elle est en tenue d'animorphe. Et, en plus, elle est pieds nus.

Il faut vous dire que lorsque nous morphosons, nous ne pouvons pas le faire avec tous nos habits. Nous pouvons juste garder quelques trucs collants, près du corps. Et les chaussures ? Oubliez-les. J'ai essayé de morphoser avec des chaussures. Elles ont fini dans le même état que si une meute de chiens se les étaient disputées.

— Qu'est-ce que Rachel fait là ? demanda Jake. Elle devrait être dans son camp de gymnastique, à la montagne !

— Qu'est-ce que ça veut dire ? reprit Marco. Cette chose. Cette chose qui nous a poursuivis, Ax et moi, s'est retrouvée aussi là où était Rachel. A votre avis, c'est une coïncidence ? Moi, je ne crois pas.

Jake secoua la tête.

– Non, ce n'est pas une coïncidence.

Il tourna les yeux vers Ax.

– Tu sais ce que c'est ?

– Non, répondit-il. Je n'en sais rien. Ça ne ressemble à aucune race dont j'ai entendu parler. Mais je suis d'accord : ce n'est pas une coïncidence. Cidence. Co-in-ci-dence.

– Bon, j'aimerais comprendre, grogna Marco.

– Tobias nous a dit que la chose s'était dirigée vers la forêt à très grande vitesse, expliquai-je. En fait, elle se dirigeait vers Rachel. L'horaire correspond. La localisation aussi. Elle a attaqué Marco et Ax, puis elle s'est arrêtée pour partir à toute vitesse à la poursuite de Rachel.

– Mais pourquoi ? Dans quel but ? Si c'est une nouvelle arme des Yirks, elle aurait dû nous achever. J'veux dire, Ax et moi, elle nous tenait à sa merci.

– Il faut qu'on parle à Rachel, décida Jake. Cassie ?

– Je l'appelle.

J'allai jusqu'au téléphone de la cuisine. Je composai le numéro de Rachel. Ce numéro, je l'ai sans doute composé tous les jours depuis des années. A la troisième sonnerie, on décrocha :

– Allô ?

— Salut, Kate.

Kate est la plus jeune sœur de Rachel.

— Rachel est à la maison ?

— Ben non, Cassie. Elle est à son machin de gymnastique. L'espèce de camp, tu sais ?

Je sentis mon estomac se nouer.

— Alors… alors, elle est partie ?

— Ben oui.

— Elle n'est pas revenue plus tôt que prévu ou je ne
sais quoi ?

— Ben non, pourquoi ? Y a un problème ?

— Non, non. C'est rien. Je me disais juste que peut-
être… non, laisse tomber. A plus tard.

Je raccrochai le téléphone et pris plusieurs pro-
fondes inspirations. Je ne voulais pas inquiéter les
autres. Je retournai dans le séjour.

Marco continuait à brailler contre le type de la
télé :

— C'était pas une tornade, abruti ! Ils sont aveugles,
ou quoi ? Les tornades n'ont pas de dents !

Jake fut le premier à me voir. Je m'efforçai de
dissimuler la peur que je ressentais au fond de moi-
même. Mais je ne peux rien cacher à Jake. Il me
connaît trop bien.

– Qu'est-ce qu'il y a ? demanda-t-il.

– Rachel. Elle n'est pas chez elle. Ils croient qu'elle est au camp.

Jake, Marco et Ax se contentèrent de me fixer durant un moment. Puis, Marco rembobina la cassette et repassa la scène une fois de plus.

Grande, blonde, une silhouette de mannequin, vêtue d'un justaucorps noir et les pieds nus.

C'était Rachel.

Et elle n'était manifestement pas au camp de gymnastique.

CHAPITRE 10
Rachel

Pendant des heures, je ne fis que marcher dans les bois. Je marchais et j'essayais de me souvenir.

Qui étais-je ?

Qu'est-ce que j'étais ?

Je ne savais pas. Mon esprit ne voulait pas me répondre. Je me souvenais comment on parlait. Je me souvenais comment on nommait les choses. Je savais que le ciel était bleu, que la lune était blanche, que l'océan était profond et que l'hiver était plus froid que l'été.

Je connaissais tous les éléments de base, tout l'arrière-plan de la vie. C'était comme une émission de télé dont j'aurais pu voir tous les décors, mais dont les acteurs resteraient invisibles.

Quant à moi – qui j'étais et ce que j'étais – je n'en savais rien.

Quoique, pas tout à fait rien. Je savais que j'étais une sorte de monstre. Je savais que je pouvais avoir les plumes, le bec et les pattes d'un oiseau. Et je savais que j'avais un terrible ennemi.

Les aiguilles de pin et les branches mortes rendaient la marche douloureuse. Mais qu'est-ce que je pouvais faire d'autre ? Où étais-je censée aller ? Une bête terrifiante me pourchassait. A qui pouvais-je faire réellement confiance ?

– Répondez-moi ! hurlai-je à personne, hormis les arbres. Je suis qui ?

Le son de ma voix me rappela que je devais être prudente. La bête venue du ciel pouvait être dans les parages. Elle pouvait avoir repris sa traque.

Je marchai, en continuant d'espérer que les nuages qui occultaient ma mémoire allaient finir par se lever. Je savais que j'étais amnésique. Je me souvenais du mot «amnésique». Mais comment cela m'était-il arrivé ? Ça, je ne pouvais pas m'en souvenir. Je demeurais à faible distance de l'autoroute qui coupait à travers les bois. J'apercevais fugitivement les voitures entre les arbres, à quelques centaines de mètres sur ma droite. Mais je restais assez loin dans le sous-bois pour qu'on ne puisse pas m'apercevoir depuis la route.

Je ne pouvais pas me permettre de me laisser voir. Pas tant que j'ignorais quel danger me menaçait.

Et puis, au milieu du vert et du brun de la forêt, j'ai aperçu une tache jaune vif. C'était plus loin, dans les profondeurs des bois. A quelques centaines de mètres de là.

Je me pliai en deux et avançai prudemment vers la tache jaune. Je me déplaçais aussi silencieusement que je le pouvais, posant mes pieds nus sur le sol avec les plus extrêmes précautions.

C'était une cabane. La tache jaune était une sorte de toit constitué d'une nappe de coton rayée. Qui sortait d'Édition limitée, sans doute.

Je me figeai sur place. Quoi ? Édition limitée ? Qu'est-ce que ça voulait dire ? Je fermai les yeux et je me concentrai.

FLASH ! Un magasin. C'était une boutique. De vêtements. De tissus. Des tables couvertes de nappes de couleurs vives. J'étais là pour faire des courses avec... je savais qu'il y avait quelqu'un avec moi. Je le sentais.

Mais je ne voyais rien de plus. Ce petit fragment de mémoire n'était qu'un bref instant de ma vie. Il ne me disait rien de plus.

Je regardai à nouveau la cabane. Elle avait l'air d'avoir été bâtie depuis un bon moment. Elle était faite de rondins, dont quelques-uns étaient complètement pourris. Est-ce que j'étais déjà venue ici ? L'endroit me semblait familier. Cet endroit… ou un endroit semblable… mais non. C'était sans doute mon imagination.

La nappe jaune était retenue par une corde à linge. Toujours pliée en deux, je contournai la baraque par la gauche pour regarder par la porte d'entrée. Elle était ouverte. Il n'y avait pas de lumière à l'intérieur.

Est-ce que je devais, est-ce que je pouvais prendre le risque ?

– Si vous désirez rendre l'article, vous devez présenter le ticket de caisse, fit une voix derrière moi.

– Yaaahhh ! hurlai-je, avant de me retourner.

Je me retrouvai devant une femme. Une vieille femme. Non, pas si vieille. Simplement usée. Elle portait tant d'épaisseurs de vêtements qu'elle paraissait grosse. Mais ce n'était pas le cas. Elle était mince. Elle trimbalait un sac de toile bourré à craquer.

Elle ne représentait pas un danger.

Je m'efforçai de me calmer. J'essayai de purger mon organisme du flot d'adrénaline qui l'avait envahi, mais mon cœur continuait à battre à toute vitesse et mes muscles restaient tendus à craquer.

– Il faut le ticket de caisse, répéta la femme en me regardant droit dans les yeux, la main tendue.

– Comment ? lui demandai-je. Vous me connaissez ?

– Si vous désirez rendre l'article, vous devez présenter le ticket de caisse, dit-elle à nouveau.

Et elle le dit exactement comme la première fois. Avec les mêmes intonations.

Elle était folle.

– Je n'ai pas de ticket de caisse, avouai-je.

Son regard se posa sur quelque chose derrière moi. Ou sur rien. Puis elle se dirigea vers la cabane. Je ne sais pas pourquoi, mais je la suivis.

C'était une malade mentale, mais elle ne semblait pas dangereuse. Et je n'étais pas précisément normale moi-même.

Je ne sais pas ce que je m'attendais à trouver à l'intérieur de la cabane, mais je fus stupéfaite : des vêtements, il y avait des vêtements partout ! Empilés sur un mètre de haut. Dans tous les coins. La plupart d'entre eux étaient sales, crasseux. Certains étaient tachés ou brûlés. D'autres paraissaient en bon état.

La folle ne semblait tenir aucun compte de ma présence. Elle ouvrit son sac de toile crasseux et commença à sortir d'autres affaires. Des chemises décolorées. Des jeans déchirés. Une vieille basket.

– Excusez-moi, fis-je. Madame ?

– Si vous désirez rendre l'article, vous devez présenter le ticket de caisse.

– Pouvez-vous me dire votre nom ?

Elle cessa de trier ses trouvailles. Elle se tourna vers moi avec un rictus espiègle.

– Mon nom ? Ou son nom ? Nous sommes deux, pas une. Oui. Oui. Si vous désirez rendre l'article…

– Votre nom, s'il vous plaît, insistai-je.

– Il est parti, maintenant, dit-elle d'un air rusé. Mais il reviendra. Oh oui, ils reviendront. Ils ne s'en vont jamais pour toujours.

J'imagine qu'en temps normal, j'aurais pu être agacée. J'aurais même pu être contrariée. Mais à présent, je savais ce que c'était que d'être trahie par son cerveau.

– A qui appartiennent tous ces vêtements ? demandai-je.

– A moi ! s'écria-t-elle soudain d'une voix hystérique. A moi ! C'est à moi !

– D'accord, d'accord ! D'accord. C'est à vous.

– J'ai tout trouvé. Les gens les jettent. C'est à moi.

– Oui, c'est à vous. Mais je me demandais... vous voyez, je n'ai pas de chaussures. Je me disais que, peut-être, vous pourriez me laisser emprunter une paire de chaussures.

– Vous réglez en espèces, par chèque ou carte de crédit ?

– Je... euh...

J'eus une idée. Elle était peut-être idiote. Peut-être même un peu cruelle. Je me penchai et ramassai un morceau d'écorce de pin sur le sol. Puis, je le tendis à la femme en annonçant :

– Carte de crédit.

Elle la prit et la regarda d'un air déconcerté. Puis elle me fixa. Il y avait quelque chose de perdu, de désespéré dans ses yeux.

– Vous connaissez ce magasin ? demanda-t-elle.

– C'est votre magasin, répondis-je.

Elle m'adressa un sourire incertain.

– Dites-moi si je peux vous aider à trouver quelque chose.

– Je n'y manquerai pas.

Je me mis à fouiller dans la pile de fripes la plus proche. Il y avait des chaussures enfouies çà et là. Je les extirpai une par une et j'en fis un tas sur le sol. Il me fallait du trente-huit. Mais jusqu'ici, je n'avais pratiquement trouvé que des chaussures d'homme.

– Êtes-vous l'une d'entre eux ? me demanda la femme.

– L'une de quoi, madame ?

– Des autres. Ceux qui vivent dans votre tête.

– Je ne crois pas, répondis-je, concentrée sur ma fouille.

– Il n'y a qu'un moyen d'en être sûr, dit-elle d'une voix veloutée, doucereuse.

Victoire ! Un trente-neuf Reebok et un trente-huit Converse. Elles n'étaient pas tout à fait assorties, mais c'était quand même mieux que de rester pieds nus.

J'entendis un grincement de gonds rouillés derrière moi. Je me retournai pour voir ce que c'était. La vieille femme avait ouvert une trappe dans le plancher de la cabane. Je commençai à me relever de ma position accroupie, les chaussures à la main, quand...

Vvlamm ! Quelque chose me frappa par-derrière. J'essayai d'aspirer de l'air frais, mais le choc m'avait coupé le souffle et m'avait vidé les poumons. La femme s'était jetée sur moi, et elle me bousculait, me giflait, me griffait en hurlant :

– Yirk ! Yirk ! Yirk !

Je me débattis pour me dégager, mais elle était forte et animée par ses visions démentes.

Je tombai. Je tombai dans l'ouverture de la trappe.

– Yirk ! Yirk ! hurlait-elle.

J'atterris sur de la terre. Je me relevai rapidement et bondis vers l'ouverture. La trappe se rabattit violemment sur moi. Je l'esquivai de justesse.

– Yirk ! Yirk ! Yirk !

FLASH ! Un bassin grisâtre et boueux. Une caverne souterraine. Quelque chose, dans le bassin, qui nageait. Beaucoup de choses. Qui grouillaient juste sous la surface du bassin. Comme des poissons. Non... des limaces. Des limaces grises.

– Yirk !

Mon esprit était perdu dans cette vision soudaine. Mais je ne pouvais pas me concentrer dessus. Il fallait que je sorte de là ! Je martelai le bois de la trappe.

– Madame, laissez-moi sortir de là ! Laissez-moi sortir ! Je ne veux pas vous faire de mal !

Pas de réponse. Je regardai autour de moi. Ce n'était pas un véritable sous-sol. Juste un trou creusé sous la cabane. Peut-être que ça avait été, il y a très, très longtemps, une sorte d'issue de secours. Ou

encore un endroit où stocker la nourriture pendant l'hiver. Mais l'endroit semblait terriblement vieux.

Sur trois côtés, les murs étaient en terre battue. Le
quatrième était formé de rondins verticaux. Les fentes
entre les rondins étaient assez larges pour me permettre de voir dehors. Mais je n'apercevais pas d'issue.

– Madame ! Laissez-moi sortir de là. Je ne vous ferai
aucun mal.

Elle me répondit. Sa voix était plus calme.

– Non, non. Vous ne voulez pas me faire de mal.
Vous voulez simplement vous glisser à l'intérieur de ma
tête. Comme vous l'avez déjà fait. Vous glisser à l'intérieur de ma tête… pour me faire… pour me forcer à
vous donner mon mari. Me forcer à vous le donner. Et
puis mes enfants. A vous donner tout. Tout pour vous.
A me contrôler. Dans ma tête. Mais tu es mort, n'est-ce
pas, Yirk ?

Je sentis mon sang se glacer. Elle était folle. Folle à
lier. Et pourtant… pourquoi son délire semblait-il avoir un
sens pour moi ? Ce mot… yirk. J'étais sûre qu'il signifiait
quelque chose. Quelque chose de néfaste.

Est-ce que j'étais folle, moi aussi ? Est-ce que c'était
ça, la vérité que j'essayais de me cacher à moi-même ?

CHAPITRE 11
Jake

Marco et moi, nous avons pris le bus pour nous rendre à l'arrêt proche de l'endroit où la bête de poussière avait attaqué Rachel et détruit le camion de glaces.

Le bus s'est arrêté et nous sommes descendus. Nous nous trouvions à la hauteur d'une station d'essence qui faisait également supérette, juste en bordure de l'autoroute.

L'épave du camion Ben & Jerry était restée à la station service. On l'avait remorquée jusque-là pour dégager l'autoroute. Il ne restait pas grand-chose de la remorque. Elle avait été broyée et réduite en miettes.

– Bon, observa sèchement Marco. Ça ressemble visiblement au même boulot d'aération qu'une certaine créature a accompli sur la maison de Darlene.

– Est-ce que tu es bien conscient que tu n'aurais jamais dû te trouver là ? rétorquai-je. Et que quelqu'un aurait pu se faire tuer ?

– Comme si j'avais su qu'une bestiole infernale serait à mes trousses ? riposta Marco.

Je laissai tomber. Il savait bien qu'il avait fait une bêtise. En tout cas, j'espérais qu'il en était au moins conscient.

– Allez, viens, lui dis-je. Tu as le sac ?

– Bien sûr que j'ai le sac, grommela-t-il.

Nous nous sommes dirigés vers la forêt. Après nous être bien enfoncés dans le sous-bois, nous avons commencé à examiner les branches des arbres avec attention.

< Là-haut ! > nous prévint Tobias en parole mentale.

Il était perché sur une branche et se lissait les plumes. Il se servait de son bec pour le faire.

– Dis, tu crois que c'est vraiment le moment de t'occuper de ton look ? lui demanda Marco.

< Le lissage des plumes n'a rien à voir avec le look, lui expliqua Tobias d'une voix aussi patiente que silencieuse. Je nettoie et renforce mes plumes, tu comprends ? Les plumes propres volent beaucoup mieux. >

– Mais comment tu fais pour les salir, tes plumes ? s'obstina Marco. Écoute, c'est vrai quoi, tu voles tout le temps...

< Imagine que j'aie faim, alors je mange une souris. Une souris exactement comme celle que tu es devenu ce matin, précisa Tobias. Et, en général, ce n'est pas une mise à mort très propre. Il y a d'autres questions ? >

Je rigolai en voyant Marco devenir vert.

– Où est Ax ? demandai-je.

< Il arrive. Il est à un peu moins de deux kilomètres derrière. Il est rapide, mais il est à pied, alors que moi, je vole. >

– Est-ce que tu as...

< Non, répondit Tobias. Je n'ai rien vu. Je n'ai vu aucun humain qui marchait dans cette partie de la forêt aussi loin que j'ai regardé. Sauf cette vieille folle qui vit un peu plus loin dans une cabane pourrie. Mais aucune trace de Rachel. >

– D'accord, ai-je admis. Marco et moi, on va morphoser maintenant. Tu veux bien remonter pour vérifier qu'on peut y aller ?

Tobias ouvrit ses ailes et s'élança presque au ras de nos têtes avant de capter un vent de face qui le propulsa au-dessus de la cime des arbres.

– Tu es prêt, Marco ?

– Pour sûr, mon amûr. J'adore cette animorphe. C'est la plus cool. De toutes les animorphes, c'est bien celle-là que je voudrais pouvoir toujours utiliser.

Nous avions l'intention de nous servir de nos animorphes de loup. Pour au moins une raison : les loups vivent dans les forêts, notre présence ne serait donc pas totalement incongrue. Mais il y avait plus important : les loups sont pourvus d'un odorat exceptionnel.

– Ouvre le sac.

Marco ouvrit le sac et en sortit une chemise de fille. Elle appartenait à Rachel. Elle l'avait laissée chez Cassie. Nous espérions qu'elle serait encore imprégnée de son odeur. Nous allions jouer les limiers.

Nous avons mis nos vêtements dans le sac et nous avons gardé nos tenues d'animorphe : un short moulant de cycliste et un T-shirt. Inutile de préciser qu'on avait l'air étranges habillés comme ça dans ces bois.

< Rien à l'horizon >, nous annonça Tobias qui était quelque part au-dessus de nous.

– Bon, allons-y, dis-je à Marco.

– Qu'est-ce que t'as l'air Arnold, quand tu dis ça, rigola Marco.

– L'air quoi ?

– L'air Arnold. Schwarzenegger, quoi !

– Oh, écrase, rigolai-je à mon tour.

– Dans ze cas, barvais, al-on-zig ! s'exclama Marco.

Je me concentrai sur le loup. Il y avait longtemps que nous avions acquis l'animorphe du loup, à l'occasion d'une mission où nous devions détruire un vaisseau de transport yirk.

« Loup », me dis-je à moi-même.

Le premier changement, ce fut la fourrure. Grise, broussailleuse et raide comme de la moquette bon marché. Elle surgit de ma peau à la hauteur du cou pour se répandre sur toute la surface de mon corps.

Je pus voir mon visage s'allonger et former un long museau. Ça fait vraiment un drôle d'effet car, quand on est humain, on peut difficilement voir son propre nez. Et il est franchement très étrange de voir tout à coup ce long truc jaillir de sa figure.

Bien sûr, ce n'est pas la seule bizarrerie que peut provoquer l'animorphe.

A priori, l'animorphe semble avoir un effet destructeur, blessant. Ce que je veux dire, c'est que des organes entiers se modifient à l'intérieur de votre corps. Et même chacune de vos cellules se transforme en l'espace de deux minutes.

Pourtant, ça ne fait pas mal. Je suppose que les scientifiques andalites qui ont découvert le procédé se sont renseignés sur la question. Si ça avait été douloureux, ça aurait été une douleur trop terrible pour qu'on puisse y survivre. Particulièrement lorsqu'on adopte une animorphe vraiment bizarre, comme un homard ou une fourmi, quand il ne vous reste pratiquement rien de vraiment humain.

Ça ne faisait pas mal. Mais ça pouvait vous rendre franchement malade d'horreur. Je pouvais entendre mes os se déplacer, se déboîter, s'allonger et se tordre. J'entendis un atroce crissement lorsque mon genou se retourna subitement pour inverser sa position.

– Hé, Jake ? appela Marco, qui avait conservé l'essentiel de sa bouche humaine.

Je commençai à lui répondre. Mais le son que je parvins à émettre ressembla à quelque chose comme :

– Ouwwrwhaaarh.

Marco se mit à rigoler et, à cet instant, sa bouche s'allongea pour former un museau comme le mien.

Ses dents s'allongèrent et se multiplièrent pour devenir les armes redoutables du loup.

< Je le crois pas. Il arrive ! hurla Tobias. Il arrive ! >

Je n'ai pas eu besoin de lui demander de qui ou de
quoi il parlait. Il m'a suffi de lever les yeux vers le ciel.
Une tempête de poussière fonçait au ras de la cime
des arbres.

< Il arrive ! >

CHAPITRE 12

Rachel

— **L**aissez-moi sortir, espèce de vieille folle !

J'étais en train d'apprendre quelque chose à mon sujet. J'ignorais toujours mon nom, mais je savais une chose : qui que je fus, j'avais du caractère.

Mais la femme avait cessé de s'intéresser à moi. Je pouvais l'entendre déambuler dans la cabane, au-dessus de moi, triant ses haillons et marmottant toute seule.

La colère que j'éprouvais avait un effet bénéfique. Je réalisai qu'elle m'empêchait d'avoir peur. Il y avait quelque chose dans ce mot... Yirk... qui me rappelait quelque chose de néfaste.

FLASH ! Je voyais à travers des yeux étranges. Je voyais trop bien. Je ne voyais plus du tout. Puis... un mille-pattes ! Plus gros qu'un être humain, gigantesque ! Et encore d'autres créatures. Les unes réelles, d'autres… d'autres qui ne pouvaient pas être réelles. Un éléphant… un ours énorme, en furie… des fourmis aussi grandes que moi… une créature dont les bras étaient hérissés de sortes de lames de faux avec des pattes de tyrannosaure, et…

FLASH !… et une créature en train de mourir. Qui ressemblait à un cheval. Non, à un cerf. Mais ce n'était pas un cerf. Une queue qui frappait comme la foudre. Des yeux… des yeux trop nombreux. Et des pensées ! Des pensées qui étaient dans ma tête.

– Sortez de ma tête ! m'écriai-je soudain.

Je haletais. Ça avait été si fort, si brutal. Mon esprit s'était ouvert et il en avait jailli un flot d'images horribles. Puis il s'était refermé. Tout était à nouveau caché derrière un nuage gris. Je sentis une odeur de fumée. Et l'odeur était forte. Forte et proche. La vieille femme faisait-elle cuire quelque chose ? Est-ce qu'elle avait allumé un feu de camp ? Est-ce qu'elle…

La cabane ! Elle brûlait !

– Laissez-moi sortir de là ! hurlai-je. La cabane est en feu !

– Cette fois, tu ne m'auras pas, Yirk !

– Je ne suis pas un Yirk ! Laissez-moi sortir ! Laissez-moi sortir !

Le feu se propageait à une vitesse incroyable. En moins d'une minute, des langues de flammes commencèrent à pleuvoir entre les fentes du plancher au-dessus de moi. Je les entendais craquer et crépiter avec ardeur. De la fumée plongeait vers moi, puis s'échappait avant de revenir, chaque fois plus épaisse et plus étouffante.

– Laissez-moi sortir ! hurlai-je une fois de plus.

Mais il n'y eut pas de réponse. J'allais brûler vive ! J'eus une violente quinte de toux, la gorge envahie par la fumée. Je me précipitai contre les rondins verticaux qui formaient les murs de ma prison. Je poussai dessus de tout mon poids. Je poussai, je tirai, je les secouai de toutes mes forces. Mais ils ne bougeaient pas d'un centimètre.

J'étais prise au piège !

J'essayai de crier à nouveau, mais je ne réussis qu'à tousser douloureusement. Je pouvais à peine respirer. Ma tête commençait déjà à se sentir toute légère.

De la force. J'avais besoin de force pour m'échapper. Une force suffisante pour fracasser ces rondins pourris !

Je tombais à genoux, abattue par la chaleur de

l'incendie. Les étincelles pleuvaient tout autour de moi, et je les balayais d'une main lourde parce qu'elles me brûlaient le dos et les jambes.

J'étais trop faible. Je ne pouvais pas y arriver. Mais à l'intérieur de moi... quelque chose à l'intérieur de moi...

Et puis, ça a commencé. Au début, je ne le remarquai même pas. J'étais trop terrifiée. Je m'attendais à ce que la cabane envahie par les flammes s'effondre sur moi à tout instant.

Soudain, j'ai commencé à me transformer.

Je me mis à grandir. A grandir si vite que ma tête montait vers les flammes.

Une épaisse fourrure brun sombre poussait sur mes bras et mes jambes.

Mais ce que je ressentais par-dessus tout, c'était la force. Mes bras, mes jambes, mon cou gonflaient sous l'apparition d'énormes masses de muscles d'une puissance ahurissante. C'était une sensation vertigineuse.

Un instant plus tôt, je me sentais totalement faible, désarmée, sur le point de succomber. Et tout à coup... la force ! Cette chose stupéfiante, explosive. La force !

CHAPITRE 13
Marco

Tobias plongea en piqué droit sur nous. Il voulait être sûr qu'on avait bien compris.

< Il arrive ! >

J'étais encore en train de morphoser, à mi-chemin de ma métamorphose. Est-ce que je pouvais déjà utiliser la parole mentale ? Je décidai d'essayer.

< On t'a entendu, Tobias. Je le vois. >

< Finis de morphoser, me cria Jake. Autant affronter cette chose sous forme de loups. >

Je tremblais de peur. Je m'étais déjà retrouvé face à ce machin aujourd'hui, et ça ne me disait franchement rien de renouveler l'expérience. Mais Jake avait raison. Il valait mieux se battre dans la peau d'un loup que dans celle d'un humain. Et cette fois, Jake était avec moi.

J'étais à quatre pattes. Je sentais la force du loup,

son intelligence et ses instincts. Je possédais tous les formidables sens du loup.

Mais lorsque je levai la tête pour voir la bête se former, je sus que le loup était bien peu de chose. Aucune forme animale ne pouvait battre cette créature !

< Regarde-la ! > hurlai-je.

< Ouais >, fit Jake.

Il essayait de parler d'une voix impassible. Mais Jake est mon ami depuis des années, et je sais quand il a la trouille. Et je peux vous dire que là, il avait une sacrée trouille.

< Elle arrive ! >

La bête aux cent bouches et aux cent lames de faux plongea sur nous. Il y avait des cimes d'arbre sur son passage. La bête les déchiqueta.

KRRAAHYYKHRR !

Nous avons couru. Nous aurions été idiots de faire autre chose. Face à ce monstre, mes puissantes mâchoires de loup n'étaient rien.

Je me mis à courir, et à courir vite. Les loups ont une sacrée pointe de vitesse, et une endurance incroyable. Un loup est capable de courir durant des heures, pendant un jour entier s'il le faut. Mais je ne pensais pas que j'aurais la chance de pouvoir courir aussi longtemps.

La bête plongea jusqu'à moins d'un mètre du sol, se stabilisa à cette hauteur, et nous prit en chasse. Les arbres étaient très rapprochés. Trop pour lui permettre de se glisser entre eux, alors elle entreprit tout simplement de déchiqueter tout ce qui se trouvait sur son passage.

KRRAAHYYKHRR !

Ce bruit était abominable. J'ai couru. J'ai bondi par-dessus des troncs abattus. Je me suis faufilé entre les arbres. Je comptais sur mon épais pelage gris pour me protéger lorsque je fonçais en plein milieu des fourrés de ronces.

KRRAAHYYKHRR !

La bête taillait un chemin large d'une quinzaine de mètres à travers la forêt. Elle faisait penser à un bûcheron de cauchemar. Elle réduisait les arbres à l'état d'allumettes en l'espace de quelques secondes. Des éclats de bois volaient dans tous les sens.

< Elle gagne du terrain, Jake ! Petit à petit, elle gagne du terrain ! >

< Les arbres. Elle les détruit, mais ils la ralentissent. Juste assez. >

< Il nous faut plus d'arbres ! Des arbres plus gros ! > hurlai-je.

Je regardai frénétiquement tout autour de moi le monde rendu terne par la vision pauvre en couleurs du loup. Des arbres, il y en avait partout. Il y en avait trop ! J'ignorais dans quelle direction la forêt s'épaississait et dans laquelle elle pouvait s'éclaircir.

Mais le loup le savait. Il suffisait de se laisser guider par son instinct. Jake et moi, nous avons dû le sentir en même temps, je crois, parce qu'on a tous les deux commencé à se diriger vers le nord.

KRRAAHYYKHRR !

Autour de nous, les arbres sont devenus plus gros et plus nombreux. La bête continuait à tailler sa route derrière nous en les pulvérisant, mais elle avait cessé de gagner du terrain.

Cela dit, elle n'en perdait pas précisément.

< Jake ! Marco ! Qu'est-ce que vous faites ? > s'écria Tobias.

< On cherche un sous-bois plus épais, expliqua Jake. Ça ralentira peut-être cette saleté ! >

< Ça s'épaissit devant vous, confirma-t-il. Mais vous avez intérêt à ce qu'elle se fatigue bientôt. >

< Pourquoi ? > demandai-je.

< Parce qu'il vous reste cinq cents mètres de forêt avant de déboucher sur une prairie. En rase campagne.>

Ni Jake ni moi n'avons fait le moindre commentaire. C'était inutile. Nous savions tous les deux que si la bête ne renonçait pas avant qu'on débouche en rase campagne, elle nous aurait.

Et elle n'avait pas l'air d'être fatiguée.

Juste à ce moment, malgré toute la terreur qui m'envahissait, je reniflai une odeur qui déclencha des signaux d'alarme encore plus puissants dans l'esprit du loup. Une odeur de fumée. Il y avait un feu non loin d'ici.

Et mes fines oreilles de loup perçurent le faible écho de la plainte d'une voix humaine.

Et comme s'il avait lui aussi entendu ce cri étouffé, je vis le monstre frémir. Il sembla hésiter.

< Jake ! Regarde ! >

La bête tremblota et ralentit. Je pouvais voir la prairie entre les arbres. La prairie où nous allions sûrement mourir.

Sauf que maintenant, la bête hésitait.

Et soudain, elle se détourna de nous. Elle se dirigea vers l'endroit d'où venait l'odeur de feu et de fumée.

CHAPITRE 14
Rachel

– **A**aaaaarrrrgghh ! hurlai-je.

J'étais sous une pluie de flammes, arrosée par une
multitude de bouts de bois et de tissu en feu. Je ne
pouvais plus respirer. Je n'y voyais plus rien. Mais je
pouvais entendre d'invraisemblables grincements
monter de l'intérieur de mon corps. Et je savais que
j'étais en train de me transformer.

Du fond de ma détresse, je pouvais sentir la force
qui se déversait en moi. Une force incroyable. Mais
serait-elle suffisante ?

J'attendis aussi longtemps que je le pus. Je n'avais
pas achevé ma transformation. Mais la chaleur était
trop intense. Et la créature que j'étais en train de devenir haïssait le feu. Je sentis soudain mes muscles gonfler dans des proportions ahurissantes. Je me ruai en
avant ! Je percutai les rondins à moitié pourris.

Kkrrraounnch !

Les rondins se brisèrent sous l'impact de mon corps gigantesque. Les gros rondins qui me retenaient prisonnière n'étaient désormais plus que de simples brindilles. Je les traversai en trombe et m'échappai de la cabane en flammes qui, à cet instant, s'effondra sur elle-même dans une explosion d'étincelles.

Je m'arrêtai pour reprendre mon souffle. A quatre pattes. Je baissai les yeux et vis deux grosses pattes là où auraient dû se trouver mes mains.

Elles étaient couvertes d'une fourrure brune, très épaisse. Et elles étaient prolongées de longues griffes noires et tranchantes.

FLASH ! Un ours dressé sur ses pattes arrière, rugissant et balayant l'air de ses terribles griffes. Des créatures tout autour de lui. Tels des hachoirs à pattes. Elles en avaient après l'ours… après moi.

« Oui ! songeai-je. Un ours grizzly. » C'était ça. J'étais devenue un ours. Ou plutôt, j'étais encore en train de devenir un ours, car la transformation n'était pas tout à fait achevée.

« Mais qu'est-ce que je suis ? » voulus-je m'écrier.

Mais le son qui sortit de ma bouche n'était guère humain :

– Wwwhaaahgrrrahowrrr !

Quelle sorte de créature étais-je donc ? Comment pouvais-je faire cela ? Comment pouvais-je me changer en animal ? C'était complètement fou. Fou.

Après tout, j'étais peut-être aussi folle que cette femme qui avait incendié sa cabane pour me tuer parce que j'étais un Yirk.

Est-ce que c'était ça ? Est-ce que j'étais un Yirk ? Qu'est-ce que c'était qu'un Yirk ?

Soudain, j'entendis une violente bourrasque de vent. Ça ne venait pas de la cabane écroulée, qui achevait de se consumer. Ça venait d'en haut, du ciel. Je regardai en l'air, mais mes yeux humains se changeaient en yeux d'ours et je n'y voyais pas grand-chose. Je distinguai simplement une grande ombre qui planait au-dessus de moi.

Et puis je perçus l'éclair d'un mouvement rapide ! Ça attaquait !

Ce qui subsistait de mon corps humain avait disparu. Et je sentais maintenant en moi toute la puissance de l'esprit de l'ours grizzly. Il n'avait pas peur. Et mieux encore, il était furieux !

Aucune créature n'attaquait un grizzly. Pas si elle tenait à la vie.

Je me dressai sur mes postérieurs. Je devais mesurer plus de trois mètres de haut. Et je savais quelle était ma force.

– Grrrrrrrhrraaahooowwwrrr ! rugis-je.

Et je balançai une de mes énormes pattes en direction de la bête qui me survolait.

Mais soudain, je perçus un autre mouvement rapide. Un autre animal, qui accourait à toute vitesse.

< Rachel ! Rachel, c'est toi ? > demanda une voix.

Une voix que je n'entendais pas vraiment, sauf à l'intérieur de ma tête.

Je regardai cette nouvelle créature. Elle s'était arrêtée, à cinq mètres de moi, à peine. Je l'examinai avec mes yeux myopes d'ours. Elle avait quatre pattes, comme un cheval ou un cerf. Mais elle avait aussi l'air d'avoir une tête et un torse presque humains. Et elle avait une queue, une sorte d'énorme queue de scorpion – ça j'en étais sûre – recourbée en arrière, prête à frapper.

Pendant un instant, personne ne bougea. Chacun attendait : moi, la bête dans les airs, et cette nouvelle apparition.

< Rachel. Rachel. Est-ce que c'est toi en ani-
morphe ? C'est moi, Ax. >

< Rachel ? interrogeai-je silencieusement. Est-ce
que c'est mon nom ? >

Alors, la bête faite de poussière attaqua.

CHAPITRE 15

Ax

Je m'appelle Aximili-Esgarrouth-Isthil. Je suis un Andalite. C'est mon frère, le prince Elfangor, qui a donné aux humains le pouvoir de morphoser. Il avait été blessé en combattant les Yirks venus envahir la Terre. Et lorsque son vaisseau fit un atterrissage forcé, ce sont Jake, Rachel, Tobias, Cassie et Marco qui le découvrirent.

C'est Vysserk Trois qui a tué mon frère, ainsi que mes amis humains me l'ont raconté. Un jour, je vengerai sa mort. Je dois tuer Vysserk Trois ou subir le déshonneur.

Plus tard, Jake et les autres m'ont trouvé. J'étais le dernier Andalite survivant de notre grand vaisseau Dôme.

Je ne suis pas un des Animorphs. Mais je me bats à leur côté contre notre ennemi commun, les Yirks. Et tant que je suis sur Terre, j'ai pris Jake pour prince.

J'ai accompagné Marco dans sa stupide expédition au domicile de la femelle humaine nommée Darlene. Je savais que c'était idiot, mais j'ai pensé qu'il valait mieux que Marco ne soit pas tout seul.

Marco est doué d'une grande intelligence. Mais il est également affligé d'une chose que les humains appellent le « sens de l'humour ». J'ai remarqué que son sens de l'humour le conduit parfois à faire de drôles de choses.

Mais lorsque la grande bête a surgi du ciel, je n'ai rien pu faire. Plus tard, les humains m'ont interrogé. Est-ce que je savais quelle était cette créature ? Ils supposaient que je devais connaître toutes les choses terribles qui pouvaient vivre dans cette vaste galaxie.

Mais je ne connaissais pas cette créature. Et ça m'effrayait.

Lorsque nous sommes partis à la recherche de Rachel, je me suis enfoncé dans la forêt. A présent, c'est là que je vis. C'est mon nouveau foyer.

Je me dirigeai d'un galop régulier vers l'endroit où je devais retrouver Tobias, Jake et Marco.

Puis, je détectai une odeur de brûlé. Je regardai en l'air et vis une colonne de fumée monter entre les arbres.

Mes yeux balayèrent tout l'espace qui m'entourait, scrutant chaque direction. Je dois toujours faire très attention à ne pas me laisser surprendre par des humains. Un de mes yeux tentaculaires suivait la colonne de fumée qui montait dans le ciel. Et soudain, je ne vis plus de fumée, mais de la poussière. Une poussière qui filait bien plus vite qu'aucun vent n'aurait pu la pousser.

La bête !

C'était encore elle.

Je courus ! Plus vite qu'il y a un instant. Aussi vite que je le pus.

C'est moi qu'elle voulait. Ce ne pouvait être que moi, j'en étais sûr. Où pouvais-je fuir ? Pas là où je devais retrouver Jake et Marco, en tout cas. Je n'allais pas amener la bête jusqu'à eux.

Mais, le feu... et si la fumée pouvait me cacher ? Mais oui !

Je me précipitai vers l'incendie. Mes sabots volaient, je plaquai ma queue contre mon échine pour gagner de la vitesse.

J'aperçus une petite clairière. Et au milieu de la clairière, le feu qui dévorait une espèce de construction. Elle se consumait rapidement. La chaleur me brûlait.

J'entendais le bois sec claquer et craquer sous la caresse des flammes.

Et puis il y eut un autre bruit, un bruit plus important. Celui de la bête ! Elle tournoyait au-dessus de moi, au-dessus du feu, en rugissant comme une tornade.

A ce moment, je vis une autre créature. C'était un animal terrestre qu'on appelle un ours grizzly. Il se dressa sur ses membres postérieurs et rugit de tous ses poumons, défiant la terre entière. Mais sa voix formidable fut aussitôt engloutie sous le hurlement hallucinant de la bête de poussière.

Un ours grizzly. Rachel avait une animorphe d'ours grizzly. Je l'avais vue l'utiliser. C'était sûrement elle.

< Rachel ! Rachel, est-ce que c'est toi ? >

L'ours gigantesque fit pivoter sa lourde tête vers moi. Mais je n'entendis aucune réponse en parole mentale.

< Rachel. Rachel. Est-ce que c'est toi en animorphe ? C'est moi, Ax ! >

< Rachel ? Est-ce que c'est mon nom ? >

Soudain, la créature de poussière passa à l'attaque.

Avec la violence d'un ouragan, elle s'abattit en

mugissant sur Rachel. Non pas sur moi, mais sur Rachel ! C'était elle que voulait la bête. Elle fit face, sans aucune peur.

< Rachel ! m'écriai-je. Cours ! Tu ne peux pas lutter contre ça ! >

La bête aux cent gueules hérissées de crocs grinçants s'abattit sur l'ours. L'ours la frappa de son énorme patte. Elle lui asséna un coup qui m'aurait arraché la tête. Un coup capable de perforer une plaque d'acier.

Ses griffes labourèrent la gueule la plus proche de la bête de poussière.

GRRRAAAOOOWWWWRRR ! rugit-elle de douleur.

La moitié de sa patte avait disparu. Carrément disparu ! A sa place, il ne restait qu'un affreux moignon déchiqueté et sanguinolent.

Que pouvais-je faire ? J'étais désespéré. Ma queue était ma seule arme. Mais cette créature allait tout simplement me la déchiqueter, comme elle l'avait fait avec la patte de Rachel.

Rachel mugissait de douleur sous la violence de son atroce blessure, mais elle frappa à nouveau. Toujours debout, rebelle, elle frappa avec la patte qui lui restait.

RRRROOOAAAHHHRRR !

Cette fois, la totalité de la patte disparut ! Et, à cet instant, je vis l'éclat de la terreur humaine scintiller au fond des yeux de l'ours.

< Rachel ! > hurlai-je d'une voix désespérée.

Ma queue d'Andalite ne me servait à rien. J'avais besoin d'autre chose. N'importe quoi ! Je fouillai ma mémoire. Quelle animorphe possédais-je qui soit susceptible de vaincre ce monstre ?

Aucune. Aucune. L'ours de Rachel était une des plus puissantes animorphes que nous possédions. Et la bête l'avait tout simplement écrasée. Il ne restait plus rien à faire, sinon s'enfuir.

Non ! Pas s'enfuir. Il fallait suivre cette créature. Pour découvrir là où elle se cachait. Pour découvrir l'endroit d'où elle venait.

Je possédais une animorphe d'oiseau terrien. Il s'appelle un busard. C'est un oiseau très rapide. Je pouvais adopter cette animorphe puis, peut-être, prendre en chasse le monstre.

Parce que ce qui ne faisait aucun doute, c'est que je ne pouvais pas sauver la vie de Rachel.

La créature de poussière descendit au-dessus d'elle. Elle l'enveloppa totalement. Je ne pouvais plus la voir. C'était comme si un nuage avait entrepris de l'avaler. La bête se déformait, s'étalait, et se reformait pour engloutir l'ours furieux qui était mon amie humaine, Rachel.

Tremblant de rage et d'horreur, je commençai à morphoser.

Et soudain, avec une rapidité qui me stupéfia, la créature de poussière s'arrêta.

Elle remonta au-dessus de Rachel. Elle fusa vers le ciel pour s'écarter d'elle et foncer sur moi ! Droit sur moi ! Et, dans les quelques secondes qui me restaient, je compris... l'animorphe ! C'était l'animorphe qui l'attirait ! Elle réagissait à l'acte de morphoser. C'était l'énergie de l'animorphe qui attirait la bête.

Elle se souleva au-dessus de Rachel. J'aperçus fugitivement son corps d'ours ligoté dans un entrelacs de cordes vivantes. La bête ne l'avait pas tuée. Elle l'avait attachée comme on ficelle un rôti !

Les cordes vivantes parurent se dissoudre avant de rejoindre la créature de poussière en se fondant dans ses innombrables éléments.

Une centaine de gueules et un millier de griffes tranchantes descendirent sur moi. A présent, c'était moi qu'elle voulait ! Et je savais que si je la frappais avec ma queue, elle ne me laisserait qu'un moignon sanguinolent.

Je ne pouvais pas lutter contre cette créature. Si j'essayais de me battre, elle me réduirait en pièces.

Je restai tranquille. Je démorphosai et repris mon corps d'Andalite. Je sentis la bête s'enrouler autour de moi. Elle m'étouffait, elle m'asphyxiait. Elle m'enveloppa hermétiquement dans une sorte de cocon jusqu'à ce que je ne puisse plus remuer d'un centimètre.

Je me sentis soulevé du sol. De plus en plus haut, de plus en plus vite, sans pouvoir distinguer quoi que ce soit, sinon entendre le mugissement des vents produits par la créature elle-même.

Mais maintenant, j'avais compris. Je savais où cette créature m'emmenait. Je connaissais ses desseins.

Et, soudain envahi d'une frayeur qui me glaça jusqu'à la moelle des os, je réalisai que je connaissais le nom de son maître.

CHAPITRE 16
Jake

Mon museau de loup me raconta une histoire.

L'odeur du bois brûlé couvrait presque tout, mais j'arrivais encore à détecter des effluves de sang. Quelque chose avait aspergé de son sang un large périmètre. Un ours. J'avais reconnu sans hésiter la forte odeur d'un ours.

Je flairai à nouveau le sol. Odeur humaine. Deux humains distincts.

Et autre chose... une odeur bizarre, étrangère. Une odeur qui ne ressemblait à rien de ce que je pouvais connaître. Jusqu'à ce que j'aie vu les traces : des traces de sabots effilés. Ax. Ax était passé par là.

Deux humains. L'un, portant des chaussures. L'autre pieds nus. Un ours. Ax. Du sang. Un incendie dont les cendres fumaient encore.

< Qu'est-ce que tu en penses ? > demandai-je à Marco.

< Les pieds nus, c'est sûrement Rachel, de même pour l'ours. Ça ne peut être qu'elle. Il n'y a pas de grizzlys, dans cette forêt. Et le sang, à tous les coups, c'est le sien. Ou celui de l'ours, c'est pareil. Donc, elle était blessée, et gravement.

Je ravalai ma colère et ma peur. Je devais rester concentré.

< Qu'est-ce qui peut blesser un grizzly ? > demandai-je alors que je connaissais parfaitement la réponse.

< Un homme armé, précisa Marco. Un autre grizzly. Ou une créature qui n'est pas d'ici. Il n'existe pratique-ment aucun animal terrestre qui soit capable de vaincre un ours grizzly. >

< C'était cette chose >, grondai-je.

Tobias descendit des hauteurs et nous survola lentement à basse altitude.

< L'ours se dirige vers le nord, précisa-t-il. J'ai vu des traces, mais elles sont bizarres. Il n'y a que des traces de pattes postérieures. Comme si l'ours avançait debout. Et il y a plein de sang. >

< Donc, Rachel, en animorphe d'ours, s'est battue

avec la créature de poussière, résumai-je. Elle s'en est sortie vivante, mais elle est incapable d'utiliser ses pattes antérieures. >

< C'est ce qu'on dirait, confirma Tobias. Les traces s'arrêtent au bord d'une rivière à un peu moins d'un kilomètre d'ici. Au-delà, je ne vois plus rien. Elle a dû démorphoser et retrouver son corps humain. >

< Mais où est-ce qu'elle est partie ? s'inquiéta Marco. Dans quelle direction ? >

Tobias se posa sur une branche.

< Je ne sais pas. J'ai cherché et je ne l'ai pas vue. J'aurais dû essayer de la rejoindre plus tôt. Quand la bête vous a laissés tranquilles, tous les deux, j'aurais dû savoir que c'était pour se lancer à sa poursuite. >

< Tobias, personne ne comprend quoi que ce soit à ce monstre. Tu ne pouvais pas savoir ce qu'il allait faire. Aucun d'entre nous ne le pouvait >, le rassurai-je.

Et c'était vrai. Mais, dans un coin de mon esprit, je pensais moi aussi que j'aurais dû savoir. J'aurais dû deviner.

< Et que devient Ax, dans tout ça ? > m'inquiétai-je.

Le moment était mal choisi pour les états d'âme.

< Il venait nous rejoindre. Il voit le feu, s'approche

pour voir ce qu'il se passe. Et là, peut-être qu'il voit Rachel ! Ou bien Rachel en animorphe d'ours ? Est-ce qu'ils se sont retrouvés tous les deux ici en même temps ? >

< Je ne sais pas, répondit Marco. Peut-être. Il y a plein de traces de sabots d'Andalite par ici. Et puis, regardez, elles s'arrêtent net. Là, exactement. Et plus aucune odeur d'Andalite passé cet endroit. C'est comme si on l'avait soulevé du sol et emporté dans les airs. >

Tobias récapitula :

< Donc, il arrive ici, il voit Rachel et la bête qui l'attaque. Ax est quelqu'un de courageux. Il se lance dans la bagarre. Rachel s'échappe. Elle est en sang, mais elle s'échappe. Et Ax ? Pourquoi n'est-il plus là ? Pourquoi ne voyons-nous pas des traces distinctes de sabots d'Andalite s'éloigner d'ici ? Pourquoi ne trouvons-nous pas son corps ? >

Personne ne répondit. Nous redoutions tous le pire. Je me souvenais de ce que la bête avait fait à la maison de Darlene. Et aux arbres. Peut-être n'avait-elle laissé aucun corps derrière elle. Peut-être ne restait-il aucune trace quand elle en avait fini.

< Les Andalites sont plus résistants qu'ils n'en ont

l'air, affirma Tobias. Je passe pas mal de temps avec Ax, ici, dans la forêt. Ne vous imaginez pas tout de suite le pire. >

< Tu as raison, acquiesçai-je, en m'efforçant d'avoir l'air confiant. Bon, ça va faire maintenant un bon moment que nous sommes en animorphe. On va devoir se servir du temps qu'il nous reste pour rejoindre la civilisation et démorphoser. Il faut au moins que j'aille retrouver mes copains de la fête ou ils vont lancer la police à ma recherche. >

< On ne peut quand même pas s'arrêter comme ça ! protesta Marco. Tobias ne dispose plus que d'une heure de jour devant lui. Après ça, il n'y aura plus personne pour essayer de trouver Rachel. Ou Ax. >

< Je vais l'utiliser, cette heure >, assura Tobias, avant d'ouvrir ses ailes et de les agiter furieusement pour s'élever dans le ciel.

< On reviendra cette nuit, annonçai-je à Marco. Va dîner avec ton père, puis on se retrouvera à la grange de Cassie. >

< Jake, qu'est-ce qui se passe ? s'inquiéta Marco tandis que nous trottions rapidement vers la route. C'est les Yirks ? >

< Qui d'autre veux-tu que ce soit ? >

< Ouais, mais réfléchis. Si ça vient d'eux, alors ils savent qui nous sommes. Cette chose est venue droit sur Ax et sur moi. Droit sur Rachel. Droit sur toi et moi. Elle sait qui nous sommes. Alors pourquoi les Yirks ne viennent-ils pas directement nous chercher ? Pourquoi est-ce qu'ils ne nous capturent pas tout simplement chez nous ? >

< Là est la question >, admis-je.

Nous avions atteint la route. Le bus allait bientôt arriver. Il était temps de démorphoser.

< Là est la question à laquelle nous devons trouver la réponse >, ajoutai-je.

< Ouais, celle-là, plus celle de savoir où est Rachel, et pourquoi elle ne rentre pas chez elle. >

< Et encore une autre question, repris-je alors que je sentais mon corps humain émerger de mon ani-morphe de loup. Comment allons-nous faire pour rester en vie ? >

CHAPITRE 17

Cassie

Magasins de vêtements, de chaussures, de sport, parfumeries, librairies... Lumières violentes. Couleurs vives. Enseignes éclatantes. Odeur de petits pains à la cannelle.

Le centre commercial. Beurk !

Et pire encore : le centre commercial un samedi soir. C'était bondé. C'était bruyant. Mais c'était bien là que j'avais une chance de trouver Rachel.

Jake, Marco, Tobias et Ax étaient tous partis là où s'était déroulée l'attaque du camion de glaces. Jake m'avait demandé d'inspecter tous les autres lieux où elle aurait pu aller. Il estimait que je connaissais mieux que personne les endroits où elle pouvait traîner.

C'était peut-être vrai, mais ça m'a un peu embêtée. Ça pouvait paraître un peu sexiste de la part de Jake. Ou bien essayait-il de me protéger. Dans un cas comme dans l'autre, ça ne me plaisait pas. Je ne voulais pas qu'on me traite d'une façon spéciale parce que j'étais une fille. Jake n'aurait même pas imaginé essayer de faire un truc pareil avec Rachel.

Et puis ça m'embêtait aussi pour une autre raison. Ça m'embêtait parce qu'une partie de moi-même était un tout petit peu soulagée. Je ne risquais rien dans le centre commercial. Qui pouvait dire ce que Jake et les autres affrontaient dans la forêt ?

Je n'étais pas heureuse d'être en sécurité. Je me suis persuadée que je faisais ce qui devait être fait, mais j'étais tenaillée par la pensée que Jake pouvait se trouver en danger alors que je ne risquais rien.

« C'est parce que tu as parlé à Jake de ce rêve idiot, réalisai-je. Maintenant, il croit que tu es en train de craquer. Ne me dis pas que ça t'étonne ! Tu racontes que tu fais des cauchemars, que tu te retrouves en face du mal et que tu choisis qui il doit tuer. Il y a pas mal de chances pour qu'il se mette à penser que tu es en train de craquer. »

N'empêche que Jake avait raison : je connaissais les endroits où risquait d'aller Rachel.

J'étais déjà passée à la salle de gymnastique où elle allait, chez le marchand de surgelés où elle se fournissait en glaces au citron. J'avais inspecté le collège, tout simplement parce que c'était là qu'elle aurait dû prendre son bus. Et j'avais même fouillé sa maison, bien que ses sœurs m'aient assuré qu'elle n'était pas là.

Ce qui laissait le centre commercial.

– Attends. Ce n'est pas elle ? murmurai-je pour moi-même.

Je me dressai sur la pointe des pieds pour mieux voir. Non. C'était une autre fille blonde.

Je ne suis pas une consommatrice de base, une folle des soldes et du lèche-vitrine. En ce qui me concerne, je ne vais faire des achats que lorsque j'ai besoin de quelque chose. Pour Rachel, faire les boutiques s'apparente à une démarche artistique. Si elle n'était pas chez elle, elle ne pouvait être qu'ici.

– Rachel ? interpellai-je une fille qui passait près de moi.

Mais aussitôt, je sus que ce n'était pas elle.

– Désolée. Je vous ai prise pour quelqu'un d'autre.

Puis, tout à coup, je vis quelqu'un que je reconnaissais vraiment. Quelqu'un que je ne connaissais que trop bien.

Chapman.

Il apparut soudain devant moi, chargé d'un sac plein à craquer et se dirigeant vers la librairie Dalton.

Chapman ! Si cette créature de poussière avait un rapport avec les Yirks, il savait. Chapman était le directeur du collège. Il était aussi un Contrôleur de haut rang. La limace qui vivait sur son cerveau était un Yirk important.

Chapman devait savoir. Il serait sans doute plus utile de le suivre que de chercher au hasard dans le centre commercial. Oui, mais comment ? Ce serait plutôt dangereux de tenter de morphoser au milieu de cette foule.

« Ne va pas faire un truc idiot juste pour prouver que tu n'as pas la frousse », me reprochai-je.

Tout en me débattant avec moi-même, je suivis discrètement Chapman à quelques mètres de distance. En fait, j'avais déjà pris ma décision. Il ne me restait qu'à choisir la façon dont j'allais l'espionner.

Une mouche. Oui. C'était ça. Morphoser en vitesse, s'accrocher à Chapman et le suivre aussi longtemps que je pourrais rester en animorphe.

Chapman était dans la librairie, et il feuilletait des magazines. Combien de temps allait-il rester là ? Assez longtemps ? Peut-être. Et où pouvais-je morphoser à l'abri des regards ?

J'allai au fond du magasin. Il y avait une réserve dont la porte était entrouverte. Au bout de la réserve, il y avait une autre porte. Des toilettes réservées aux employés. Super !

Je glissai un œil vers Chapman. Il était maintenant au rayon histoire. Qu'est-ce qu'un Contrôleur pouvait bien avoir à faire de l'histoire de la Terre ?

J'avalai péniblement ma salive et je me glissai dans la réserve, faisant comme si j'étais là chez moi tout en me déplaçant aussi vite que possible. Il n'y avait personne en vue. Je m'engouffrai dans les étroites toilettes du personnel et verrouillai la porte derrière moi. J'ôtai mes chaussures et tous mes habits, à l'exception de ma tenue d'animorphe, avant de les cacher dans la poubelle sous un tas de serviettes en papier roulées en boule. Il faudrait que je revienne les chercher plus tard.

Puis je me concentrai. Ce n'était pas facile, parce que mon cœur battait à tout rompre. Et puis je n'aimais vraiment pas les animorphes d'insecte.

Je me concentrai sur la mouche en priant pour que personne n'ait soudain envie d'aller au petit coin. J'avais la tête qui tournait. Mais je n'avais pas peur. Enfin, je n'avais pas trop peur. Même Rachel aurait eu le trac dans une situation pareille.

Je commençai à rétrécir.

Ça fait un effet très bizarre de morphoser en une créature minuscule. A un moment, votre tête est à quelque chose comme un mètre vingt du sol et, tout d'un coup, elle n'est plus qu'à soixante centimètres. Puis trente, quinze, trois centimètres.

C'est comme si vous tombiez. Vous avez l'impression que le sol vous fonce dessus pour vous écraser. Pour tout vous dire, vu la façon dont il se ruait sur moi, le lino de ces toilettes avait l'air vivant ! J'étais comme un parachutiste en chute libre tournoyant vers la terre.

Mais il se passait encore bien d'autres choses passablement troublantes. Une mouche ordinaire n'a rien à voir avec un humain. Tout doit donc changer au cours de l'animorphe. Tout.

Mes mains commencèrent à s'ouvrir en deux. Au bout de chacune d'elle, deux doigts s'allongèrent pour se transformer en griffes aiguisées. Deux autres doigts ainsi que le pouce se couvrirent de milliers de minuscules poils raides.

C'est le genre de phénomène qui avait le don de me glacer de terreur les premières fois où nous avons entrepris de morphoser. Croyez-moi : je peux vous assurer que le pire des films d'horreur que vous avez pu voir au cours de votre existence n'est qu'une joyeuse plaisanterie comparé au spectacle de votre propre corps se transformant en quelque chose d'autre.

Morphoser n'est pratiquement jamais joli à voir. Les autres disent tous que c'est moi la meilleure dans cet exercice, que je suis capable d'en faire un spectacle supportable, voire harmonieux. Mais rien ne peut rendre une mouche harmonieuse. Aucune mouche ne s'appelle Leonardo Di Caprio (ou alors, c'est une grosse menteuse). Les mouches sont toutes des créatures moches, dégoûtantes, affreuses, immondes, répugnantes, et j'en passe.

Mes jambes se recroquevillaient et se changeaient en pattes de mouche. Sproutch ! Deux nouvelles pattes jaillirent à travers ma poitrine, juste au-dessous de l'emplacement où s'étaient trouvées mes côtes. Les pattes surgirent de mon corps comme deux énormes vers noirs. Elles étaient couvertes de poils raides taillés comme des poignards, pourvues d'articulations et devinrent très vite aussi dures que du plastique.

Quant à mon visage... euh, là, c'était franchement désagréable.

Mon nez se fendit en deux. Chacune de ses moitiés se couvrit de longs poils sensibles. Ma bouche et ma langue se soudèrent, avant de grandir et de devenir énormes pour former un long tube capable de cracher et d'aspirer par son extrémité.

Mes yeux semblèrent se fracasser, comme un miroir cassé en mille morceaux. Ma vision s'évanouit durant un moment, me laissant aveugle. Puis elle revint, mais elle était si différente que c'est à peine si je réalisai que je voyais à nouveau.

Je venais de perdre mes yeux humains pour des yeux à facettes ! Là où les précédents m'offraient une image unique, j'en voyais désormais un millier. C'était un peu comme regarder la télé le nez collé contre l'écran tout en tripotant le bouton de contrôle de la couleur. Ça donnait des images, mais les couleurs étaient toutes faussées.

Finalement, j'arrivai au bout de mon animorphe. J'étais une mouche. C'est sans doute vrai, je suppose, que je morphose un peu plus vite que les autres. Plus vite qu'Ax même. Je sais que c'est sans doute un peu idiot de me sentir fière de ça, mais je le suis.

J'agitai mes puissantes ailes, retirai mes griffes des stries du lino et m'envolai au ras du sol pour passer sous la porte des toilettes. Une fois dehors, je pris de l'altitude et fonçai vers Chapman.

CHAPITRE 18

Ax

La bête de poussière m'emportait de plus en plus haut. Je pouvais sentir la gravité me tirer vers le bas. Je pouvais sentir les effets de la vitesse à mesure que nous accélérions. Je ne pouvais rien voir. J'entendais juste le grondement d'un tourbillon.

Nous avons commencé à ralentir. A ralentir de plus en plus, jusqu'à l'arrêt complet. La créature de poussière resta en l'air, immobile. A quelle altitude étions-nous ? Où étions-nous ?

Et puis… une brèche s'ouvrit dans le mur de poussière hurlante qui m'enveloppait. J'aperçus la terre loin au-dessous. Mais je ne la voyais pas depuis une position orbitale. Nous étions toujours dans l'atmosphère.

Ça m'a surpris. Contrairement à ce que j'ai vu ensuite. Ce n'était pas un grand vaisseau selon les normes habituelles. Il était bien plus petit qu'un vaisseau Dôme andalite. Bien plus petit que le vaisseau Mère yirk. Il était tout noir, avec deux ailes semblables aux lames d'une hache d'armes médiévale, bordant un long poste de commandement taillé comme un diamant effilé tout à l'avant de l'engin. Je le connaissais. C'était le vaisseau Amiral. Le vaisseau particulier de Vysserk Trois.

Il avait désactivé pour quelque temps son enveloppe de camouflage. Sans bruit, une ouverture apparut au sommet de la passerelle de commandement. La créature de poussière s'y engouffra en tourbillonnant.

Et aussitôt, je chutai ! Blam ! Je heurtai une surface dure. J'agitai mes sabots, mais j'étais couché sur le flanc. La bête de poussière m'avait lâché sur un plancher métallique aussi lisse qu'un miroir.

Je parvins à me relever. La créature de poussière planait au-dessus de moi.

Et tout autour de moi, il y avait des guerriers hork-bajirs, tous armés de lance-rayons Dracon braqués sur moi et prêts à tirer.

Il devait y en avoir une bonne dizaine. Ce qui était largement suffisant.

Jadis, les Hork-Bajirs étaient des gens respectables et pacifiques. Et puis, les Yirks les ont asservis. Les

Hork-Bajirs sont aussi puissants qu'incroyablement dangereux. Ils se déplacent sur deux jambes et conservent leur équilibre grâce à une queue volumineuse. Chacune de leurs jambes se termine par un pied comparable aux serres des oiseaux de proie terrestres. Ils ont deux bras. Leurs genoux, leurs coudes et leurs poignets sont hérissés de lames. Des lames assez semblables à celle qui prolonge ma propre queue. Et leurs têtes de serpent sont également surmontées de deux lames recourbées vers l'avant. Quant à leur queue, elle est hérissée de longues pointes effilées.

Ce ne sont pas des créatures avec lesquelles on est tenté de chercher spontanément la bagarre. Ce qui peut expliquer pourquoi ils constituaient une espèce des plus pacifiques, voire portée sur la poésie. Ils ne craignaient personne. Jusqu'à ce que les Yirks commencent à en faire des Contrôleurs.

A présent, il n'existe plus aucun Hork-Bajir libre. Ils sont tous esclaves des Yirks. Ils sont tous des Contrôleurs, avec un Yirk incrusté dans leur cerveau.

Deux ou trois d'entre eux auraient largement suffi pour me vaincre. M'en envoyer une dizaine était une sorte de compliment.

< Bien, bien, fort bien ! résonna une voix dans ma tête. Ainsi donc, voici notre première prise ! >

C'était lui. Comme je l'avais deviné.

Vysserk Trois. Le troisième des plus puissants seigneurs de la guerre yirk. Le commandant suprême de l'invasion de la planète Terre par les Yirks.

Une abomination !

Vysserk Trois est une créature unique dans toute la galaxie : il est le seul Andalite-Contrôleur. Lui seul, parmi tous les Yirks, est parvenu à s'emparer du corps d'un Andalite et à l'asservir.

Sa vue m'emplissait de dégoût. L'assassin de mon frère ! La créature que je devrais tuer un jour. Sans quoi, jamais je n'aurais l'honneur d'être un véritable guerrier.

Je m'étais déjà retrouvé face à lui. Mais chaque fois avec mes amis humains à mes côtés. Et attaquer Vysserk dans ces conditions aurait signifié risquer leurs vies.

Mais à présent, je n'avais plus cette excuse. Vysserk Trois était devant moi. L'assassin de mon frère. Vysserk Trois braquait ses yeux principaux sur moi. Ses tentacules oculaires surveillaient la bête de poussière qui planait tant bien que mal au-dessus de nos têtes.

J'ai honte de le dire, mais je dois avouer que sa présence m'inspirait une profonde terreur. Il irradiait le mal. Et le pouvoir. Un énorme, un effrayant pouvoir.

< Tu n'es même pas adulte, Andalite, ricana Vysserk Trois. Mon Veleek m'a ramené un enfant ? >

< Veleek ? > fis-je.

< Oui. C'est le nom que je lui ai donné. Dans la langue yirk, cela signifie « animal familier ». C'est une rare forme de vie issue d'une autre planète de ce système solaire, de la grosse géante gazeuse, celle qui est entourée d'anneaux si visibles. >

Saturne. C'est ainsi que les humains l'ont appelée. Mais je ne dis rien à Vysserk. En lui répondant, j'aurais pu lui révéler que j'étais en contact avec des humains.

Vysserk Trois m'examina.

< Ainsi donc, tu es vraiment un Andalite, en fin de compte. Certains de mes conseillers avaient suggéré, que vous autres, les résistants, vous pouviez être des humains et non des Andalites. Mais voici que nous avons capturé un premier spécimen andalite ! >

Les Yirks étaient persuadés que les Animorphs étaient un groupe d'Andalites qui avaient survécu à la bataille spatiale qu'ils avaient livrée en orbite avant de se réfugier sur la Terre. Il fallait absolument qu'ils continuent à croire à cette version.

< Pourritures de Yirks ! hurlai-je tout à coup. Mes oncles vous détruiront ! >

Vysserk Trois éclata de rire.

< Toi et tes oncles vous m'avez causé quelques soucis, c'est vrai. Vous avez détruit le vaisseau cargo que nous utilisions pour nous ravitailler en eau et en oxygène. Ce fut très fâcheux. Et vous avez également détruit notre Kandrona basé au sol. Ce qui fut encore plus fâcheux. >

Il s'approcha, affichant une totale confiance en lui. Montrant qu'il n'avait pas la moindre peur de moi.

< Pour tous ces désagréments, je te réserve une très, très longue, et très lente agonie, jeune Andalite. >

J'aurais voulu le frapper. Mon frère... Le prince Elfangor... lui, il en aurait eu le courage. Mais pas moi. Les Hork-Bajirs m'auraient désintégré avant que j'aie pu bouger la queue d'un centimètre. Et j'étais comme hypnotisé par le terrifiant pouvoir de Vysserk Trois.

< Oui, vous m'avez fait courir, rebelles andalites, poursuivit Vysserk Trois. Mais c'est fini. Mon Veleek va vous capturer, l'un après l'autre, et vous ramener à moi. >

Si je n'avais pas le courage de l'attaquer et de mourir, je pouvais au moins essayer d'en apprendre plus. Si je restais en vie... si je parvenais à m'échapper, par quelque miracle...

< Comment pouvez-vous faire un Contrôleur d'une créature constituée de poussière ? Où donc installez-vous votre corps infect de limace visqueuse ? >

< Oh, mais le Veleek n'est pas un des nôtres, répondit Vysserk. Ce n'est pas un Contrôleur. Ce n'est pas réellement une créature consciente. Il n'a pratiquement aucune espèce d'intelligence – ou alors, si peu. Vraiment, c'est une forme de vie fascinante. Elle ne ressemble à rien de ce que nous avons pu découvrir jusqu'à présent. Elle flotte dans l'atmosphère comme de la poussière. Chaque particule qui la compose peut percevoir l'énergie des formes de vie. De n'importe quelle forme de vie. Lorsqu'une particule a senti une proie, les millions d'autres se rassemblent pour attaquer la forme de vie et ils la réduisent en lambeaux. Et l'énergie contenue dans chaque miette de la créature ainsi déchiquetée est ensuite absorbée par les particules. >

Vysserk Trois éclata à nouveau de rire. D'un rire silencieux, mais qui résonnait d'une façon abominable dans mon esprit.

< Nous avons perdu beaucoup de soldats avant de réussir à comprendre cette créature. Ah ça oui, elle nous a dévoré des Hork-Bajirs et des Taxxons en quantités énormes. Mais ensuite, nous avons réalisé quelque chose : on pouvait la modifier. Nous pouvions utiliser cette chose. Je pouvais la programmer pour qu'elle me serve. >

Je hochai la tête. Maintenant, je comprenais.

< Vous l'avez modifiée de façon à ce qu'elle ne détecte que l'énergie produite par une animorphe. >

< Exact ! Vous autres, Andalites, vous avez toujours été doués pour les matières scientifiques. Tu as compris : désormais, la chose ne détecte plus que le type d'énergie spécifique que l'on dégage en morphosant. Mais elle ne peut pas se nourrir de cette énergie. Ah, non, non, non ! Je ne veux pas qu'elle vous réduise en confettis, mes chers Andalites. Je ne veux pas qu'elle vous dévore. Je veux vous voir ici. Avec moi. J'ai donc programmé mon Veleek pour qu'il se nourrisse exclusivement de l'énergie que nous lui offrons, celle produite par les moteurs de ce vaisseau. Astucieux, n'est-ce pas ? Le Veleek détecte une animorphe en cours, il attaque, mais me rapporte sa proie pour recevoir sa pitance. >

< Seul un Yirk peut trouver astucieux d'imposer une mutation à une autre forme de vie >, lâchai-je avec autant de mépris que je le pus.

Est-ce que j'allais frapper ? Est-ce que j'en étais capable ? Est-ce que j'étais assez rapide ?

Vysserk Trois hocha la tête.

< Oui, oui. Nous autres, misérables Yirks, nous savons combien vous, les Andalites, vous êtes des êtres supérieurs. Si supérieurs et satisfaits de vous. Les grands moralisateurs qui fourrent leur nez dans toutes les affaires de la galaxie ! Les glorieux, les justes princes andalites qui veulent sauver la galaxie des méprisables Yirks ! Bon. En attendant, tu es ici, jeune Andalite. Et bientôt, le reste de ta bande de rebelles t'aura rejoint. Combien êtes-vous, tous ensemble ? >

< Je ne vous dirai rien >, répliquai-je.

< C'est sans importance, me lança Vysserk Trois avec mépris. Le Veleek ne se fatigue jamais. Je vais le renvoyer sur Terre et il va reprendre sa chasse. Tes amis sauront se montrer rusés. A l'occasion, ils parviendront à lui échapper… pour un temps. Mais, tôt ou tard, mon Veleek les attrapera. Et il me les apportera, l'un après l'autre. >

Il fit un geste brusque à l'intention de ses soldats.

< Jetez-le dans la cage. Et surveillez-le. S'il s'échappe, vous serez tous exécutés. Ah, occupez-vous aussi de nourrir le Veleek, et puis relâchez-le. Qu'il aille me chercher d'autres Andalites. Je ne voudrais pas que notre jeune ami se sente trop seul. >

Les Hork-Bajirs m'empoignèrent sans ménagement. Vysserk Trois me tourna le dos et s'éloigna.

Je ne l'avais pas frappé. Je m'étais retrouvé face à face avec l'assassin de mon frère, et je l'avais laissé partir.

CHAPITRE 19
Cassie

Ziiiouuum ! Je fis vrombir mes ailes de mouche et passai comme une flèche sous la porte. Pour moi, le rebord inférieur de la porte avait l'aspect d'un plafond. Dès que je l'eus franchi, je montai en chandelle.

Ziiiouuum ! Vraiment en chandelle, droit vers le ciel, comme une fusée.

< Cool ! > hurlai-je à personne en particulier.

Ziiiouuum ! Je me retournai en plein vol et touchai le plafond avec mes six pattes. Mes longues griffes s'enfoncèrent dans les minuscules interstices du revêtement. Mes coussinets gluants m'offrirent une adhérence supplémentaire. Je restai suspendue la tête en bas.

Se transformer en mouche, c'est franchement dégoûtant. Mais en être une, c'est quelque chose de fabuleux. Parce que rien au monde n'est capable de voler comme ça ! Quand on est une mouche, on peut voler en ligne droite, ou décider tout à coup de grimper à la verticale, ou s'arrêter pile en plein vol et faire du surplace. Il n'y a absolument rien que les ailes de cet insecte soient incapables de faire. Le meilleur jet de combat, avec aux commandes le plus grand pilote de tous les temps, ressemblerait à un éléphant dans un magasin de porcelaine si on le confrontait à une mouche ! Tobias, dans ses meilleurs jours, serait bien incapable d'essayer d'imiter la moindre figure aérienne d'une mouche.

Je restai fixée au plafond, juste au-dessus de la tête de Chapman. A environ un mètre cinquante de son crâne dégarni. Enfin, je supposais que c'était lui. Ce n'est pas évident de s'habituer à la vision des mouches. Pas évident du tout. Heureusement, il avait... – du moins le type que j'espérais être Chapman – avait marché dans une crotte de chien quelque temps auparavant. Et si je n'étais pas très sûre de l'étrange vision que me procurait mes yeux à facettes, je savais que rien ne pouvait mieux renifler un excrément de chien qu'une mouche. J'avais les yeux rivés sur la chaussure de Chapman.

Il n'y avait qu'un seul petit problème : Chapman n'arrêtait pas d'examiner des livres et des magazines. Ma cervelle de mouche commençait à s'énerver un peu à force de rester sans bouger au même endroit, aussi je me laissai tomber du plafond, pivotai en l'air, et mis mes ailes en action pour faire à toute allure le tour de sa tête.

Oui. C'était bien Chapman. Cette fois, ça ne faisait pratiquement aucun doute.

Pendant les vingt minutes qui suivirent, je me contentai de l'accompagner dans sa lente visite de la librairie. Je lui tournais autour à toute vitesse en prenant garde de rester toujours hors d'atteinte. De temps à autre, je me reposais sur le dos d'un livre ou je filais me réfugier au plafond.

Finalement, tout ça commençait à ressembler à un plan vraiment stupide. J'étais censée rechercher Rachel, qui pouvait avoir de sérieux ennuis. Et tout ce que je faisais, c'était contempler le crâne chauve de Chapman.

Et puis… oui ! Un homme et une femme parlaient à Chapman ! Il n'est pas facile de comprendre une conversation avec les capacités auditives d'une mouche. Heureusement, je m'étais déjà transformée en cet insecte, si bien que j'étais capable de traduire en sons les vibrations que captait mon animorphe.

– Vous êtes en retard, gronda Chapman.

— On ne pouvait pas faire autrement, protesta l'homme. Notre travail n'est pas facile, avec tout ce qu'il se passe.

— Pas ici, ordonna-t-il. Venez avec moi.

Il sortit de la librairie, accompagné des deux nouveaux venus. Je me laissai tomber du plafond et fonçai derrière eux. Je n'avais pas de mal à garder le contact. Il me suffisait de garder ma cible – la tête de Chapman – quelques dizaines de centimètres devant moi. Ce qui était difficile, c'était d'arriver à comprendre ce qu'ils se disaient. Dans les galeries du centre commercial, c'était une véritable cacophonie : des voix, de la musique, des bruits de pas qui résonnaient formant d'incompréhensibles vibrations pour mes antennes et mes poils sensitifs.

Pour parvenir à comprendre ce qu'ils se disaient, je devais prendre un risque. Je fonçai en avant à pleine vitesse, pivotai sur le côté, et me posai sur le col de Chapman. Pour moi, les fibres du tissu étaient grosses comme des cordes, et je n'avais aucun mal à m'y maintenir. Mais je n'en gardais pas moins mes instincts de mouche en alerte maximum, au cas où quelque grosse main humaine surgisse soudain de nulle part pour m'écrabouiller.

— Je ne vois pas pourquoi nous devons nous rencontrer ainsi, s'étonna la femme. Vous ne trouvez pas que c'est un peu mélodramatique, non ? On se croirait dans un de ces ridicules romans d'espionnage humains.

— Vysserk Trois se méfie de nos réseaux de communication, depuis peu. Vysserk Un a des partisans parmi les nôtres, ici. N'oubliez pas que notre chef a déjà capturé une fois ces Andalites, et que Vysserk Un les a sciemment libérés pour nous mettre en difficulté.

— Est-ce qu'on en a la preuve ? demanda l'homme.

Chapman haussa les épaules et répondit d'un ton railleur :

— Si on en avait eu la preuve, Vysserk Un serait en train de hurler dans les chambres de torture du Conseil des treize. Mais il n'empêche que nous le savons. Et cette fois, Vysserk Trois ne laissera rien se mettre en travers de son chemin. Cette nouvelle créature qu'il a ramenée, ce Veleek, va nous débarrasser de ces damnés terroristes une bonne fois pour toutes.

«Veleek, pensai-je. L'ennemi a un nom.»

— Et semer une énorme pagaille au passage, grogna la femme. J'ai passé toute la journée à courir partout pour essayer d'étouffer l'affaire.

— C'est bien pour ça qu'on t'a placée dans les forces de police, lui lança sèchement Chapman. C'est ton travail de contrôler les enquêtes policières qui pourraient nous causer... des problèmes.

— Mais tout de même, répliqua-t-elle sans se laisser intimider par le ton de Chapman, dix pour cent des effectifs de la police locale sont des nôtres. Mais cela signifie que quatre-vingt-dix pour cent de policiers sont humains. Et les humains ne sont pas de parfaits crétins. Nous avons des témoins qui parlent de monstres faits de poussière, pas de tornades.

— C'est la même chose au journal, renchérit l'homme. Jusqu'à présent, on est parvenu à contrôler la situation. Les gens ont cru à cette ridicule histoire de tornade. Mais tu dois dire à Vysserk Trois de...

Soudain, je fus violemment secouée en tout sens. Je lâchai le col de Chapman et je pris de l'altitude. Il s'était brusquement arrêté et il avait empoigné le bras de l'homme. Le visage de Chapman était à quelques centimètres de celui de son interlocuteur.

— Je dois dire à Vysserk Trois ? Dire à Vysserk Trois ? Personne ne dit à Vysserk Trois ce qu'il doit faire ! Ceux qui osent lui dire ce qu'il ne veut pas entendre sont privés de rayons du Kandrona. Ils agonisent lentement, ils meurent à l'intérieur de leur hôte. Depuis que les rebelles ont détruit le Kandrona installé sur Terre et qu'il a fallu rationner ces rayons, Vysserk cherche des excuses pour éliminer les Yirks trop gourmands. Alors si tu tiens vraiment à aller lui dire de ne pas se servir de son Veleek, vas-y tout de suite !

Il relâcha l'homme et ils se remirent tous en marche.

– Un Veleek, grommela la femme. Avons-nous donc besoin de telles choses pour attraper une poignée de terroristes andalites ?

– Oui ! répliqua Chapman. Et estimez-vous heureux que Vysserk ait son « chasseur d'animorphe ». Ça l'empêche de se demander pourquoi vous n'avez pas attrapé vous-mêmes les Andalites. Vous feriez mieux d'espérer que cette créature de poussière réussisse là où vous avez échoué. Les pressions se font de plus en plus fortes sur Vysserk pour qu'il remette de l'ordre dans toute cette pagaille qui règne sur la Terre. Il paraît qu'il pourrait être rétrogradé au rang de Vysserk Quatre. Ou même Cinq. Si Vysserk Trois perd son rang à cause de votre échec, vous feriez mieux de suivre mon conseil : donnez-vous la mort. N'attendez pas qu'il s'en charge à votre place.

Après ça, l'homme et la femme se firent silencieux.

Chapman leur donna quelques instructions. Pour l'essentiel, de s'en tenir à la version de la tornade, quoi qu'il arrive. Il leur fit remarquer que les humains étaient des imbéciles qui étaient prêts à avaler n'importe quelle absurdité. Et si d'éventuels témoins commençaient à se montrer gênants, il n'y avait qu'à les éliminer ou en faire des Contrôleurs.

C'était une conversation franchement effrayante. Et je n'en savais pas plus sur le sort de Rachel. Néanmoins, j'avais appris des choses importantes.

Le Veleek était une créature de Vysserk Trois. Et ils l'avaient appelé « chasseur d'animorphe ».

Il était temps que je retourne aux toilettes de la librairie pour démorphoser. Il fallait que je parle à Jake et aux autres. Tout de suite.

Chasseur d'animorphe.

Il avait attaqué Marco et Ax pendant qu'ils démorphosaient dans le sous-sol de la maison de Darlene. Il avait été à deux doigts de les tuer.

Avait-il réussi avec Rachel ?

CHAPITRE 20
Rachel

Je crois que la douleur m'aurait tuée si j'avais été humaine. Mais je n'étais pas seulement humaine. J'étais ours. Et, grâce à la force de l'ours, j'ai résisté.

Je n'avais plus de pattes de devant. Elles avaient été déchiquetées par le terrible monstre de poussière. Il y avait du sang partout. Je ne pouvais plus marcher comme un ours. Mais je pouvais tituber sur mes deux pattes arrière et me rouler par terre le temps de m'éloigner suffisamment de l'effroyable créature.

Je trouvai un ruisseau, profond d'à peine trente centimètres et large d'un mètre. Je me laissai tomber dans l'eau et tentai de changer de forme.

Je ne savais pas si j'en étais capable. Je ne savais pas comment j'étais devenue un ours. Si bien que je n'étais pas sûre de pouvoir redevenir humaine. Et même si j'en étais capable... est-ce que j'aurais encore des mains ? Est-ce que l'abominable blessure que mon corps d'ours avait subie impliquait la disparition de mes mains de fille ?

Rachel. C'était ainsi que m'avait appelée l'autre créature, celle qui ressemblait à un mélange de cerf, de scorpion et de garçon. Il n'avait fait aucun bruit, mais j'avais entendu sa voix dans ma tête. Et il m'avait appelée Rachel.

Est-ce que j'étais Rachel ?

Je me concentrai sur l'idée de redevenir humaine. Mais, en même temps, je devais lutter contre une souffrance intolérable. Je me couchai sur le flanc dans le ruisseau. Le courant faisait bouillonner l'eau froide autour de moi, et j'y plongeai les moignons de mes pauvres pattes qui s'y engourdissaient.

Et peu à peu, je sentis que je rétrécissais. Je devenais plus petite, et plus faible. Je redressai mes moignons sanglants devant moi pour pouvoir les observer. J'aurais crié, si j'avais eu une bouche humaine. Parce que… au bout de mes affreux membres déchiquetés, des doigts… des doigts humains… commençaient à pousser !

Mes mains repoussèrent. L'épaisse et rude fourrure de l'ours laissèrent place à une peau douce et au tissu

noir de mon justaucorps. Mes énormes pattes ani-
males se changèrent en fines jambes de jeune fille.
Mon odorat perdit toute sa faculté, tandis que ma vue
retrouvait toute sa finesse.

Je me relevai. Toute tremblante. Faiblarde. Mais je
ne souffrais plus. Et le plus étonnant, c'est que toutes
les coupures et les écorchures que j'avais pu me faire
en déambulant pieds nus dans les bois avaient disparu. J'étais toute neuve !

Je lançai un regard alentour à la recherche de la
créature de poussière, mais je ne vis rien. Il commençait à faire nuit. Est-ce que l'obscurité me protégerait ?
Où aiderait-elle mon ennemi ?

Je me mis à chercher l'étrange créature qui
connaissait mon nom. L'étrange créature ?

Ces mots se fixèrent dans mon esprit. Oui ! Oui,
cette créature ne pouvait pas venir de la Terre. Je le
savais. Ce souvenir-là était intact. J'ignorais si je
connaissais cette chose, et si elle était bonne ou mauvaise, mais il ne pouvait s'agir que d'un extraterrestre.

Tout comme la créature de poussière. Oui. Mais
oui, bien sûr. C'était comme pour la vieille femme qui
divaguait à propos des Yirks. Eux aussi, c'était des
extraterrestres.

FLASH ! Un chantier de construction. Des bâtiments inachevés qui s'élevaient tout autour. De grosses machines, du matériel lourd. Une nuit sombre. Une lumière dans le ciel. Quelque chose qui atterrissait. Quelque chose… une chose étrangère… extraterrestre. Des gens autour de moi. Des visages. Des visages que je connaissais.

– Quels visages ? m'écriai-je.

Mais la vision avait disparu.

– Aaarggghhh ! hurlai-je, horriblement frustrée.

J'aurais voulu démolir quelque chose à coup de pied. J'aurais voulu pouvoir pénétrer dans mon propre cerveau pour arracher le rideau opaque qui me masquait la vérité !

« Tiens bon, Rachel, me dis-je à moi-même. Au moins, tu connais ton nom. Et tu sais que tu disposes de pouvoirs très étranges. Et tu sais que tu as des ennemis pour le moins puissants. »

Tout ceci n'était pas précisément rassurant. La bête de poussière aurait dû me détruire. Mais elle avait été distraite par quelque chose. Par l'extraterrestre. Cet extraterrestre était-il un ami ? Avait-il voulu m'aider ?

« En tout cas, les réponses ne sont pas ici, dans la

forêt, me dis-je à moi-même. Tu dois rejoindre la civilisation. C'est là que tu les trouveras. »

Revenir dans le monde civilisé. Mais quelle direction fallait-il suivre ? L'ours l'aurait su. Il n'aurait pas hésité. Est-ce que j'étais capable d'en faire autant ?

Je m'immobilisai, écoutant attentivement.

Le vent faisait frissonner les feuilles des arbres. Les écureuils poussaient de petits cris. Des choses que je ne pouvais pas voir passaient derrière les buissons. Les oiseaux chantaient. Le ruisseau écumait au-dessus des rochers et des branches abattues.

Le ruisseau. Bien sûr.

« Suis le ruisseau », me suis-je dis.

CHAPITRE 21

Marco

< Je n'ai rien vu, c'est compris ? s'énerva Tobias. Ni ours. Ni Rachel. Ni Ax. Combien de fois est-ce que je vais devoir vous le répéter ? Je ne les ai pas vus ! >

Il était perché dans la charpente de la grange de Cassie. Nous étions assis sur des bottes de foin, ou nous marchions de long en large, énervés, furieux et, pire que tout, franchement effrayés.

Jake, Cassie, Tobias et moi. Quatre sur les six qui auraient dû être là.

– Allez, Tobias, calme-toi, dit doucement Jake. Personne ne t'a rien reproché. Personne ne reproche rien à personne. Il faut juste qu'on arrive à comprendre quelque chose à tout ça.

– Ax devait nous rejoindre dans les bois, ai-je récapitulé. Il ne l'a pas fait. S'il ne pouvait pas nous retrouver, il savait qu'on s'inquiéterait. Il savait qu'il aurait dû prendre son animorphe humaine pour venir nous dire que tout allait bien.

– Ce qui veut dire que tout ne va pas bien, commenta Jake.

– Ax ne va pas bien et Rachel n'est pas en meilleure forme, ajoutai-je. Et je crois que nous savons pourquoi. C'est à cause de cette chose.

Je me tournai vers Cassie.

– Comment Chapman l'appelle-t-il, déjà ?

– Un Veleek, un chasseur d'animorphe.

– C'est à cause de lui que Rachel et Ax ont tous les deux disparu, insistai-je. Il avait déjà failli nous avoir, Ax et moi, chez Darlene. Il a encore failli nous avoir cet après-midi.

Cassie me regarda d'un air troublé.

– Pourquoi « failli » ?

– Qu'est-ce que tu veux dire ?

– Pourquoi est-ce qu'il ne vous a pas eus ? insista Cassie en fronçant les sourcils. Chez Darlene, il vous tenait à sa merci. Aujourd'hui, vous dites que vous l'avez semé. Mais en fait, c'est lui qui a cessé de vous poursuivre, non ? Il a foncé vers la cabane où on croit qu'il y avait Ax et Rachel. Et pourquoi ? Pourquoi avoir cessé de vous attaquer pour se lancer à leur poursuite ?

— Je n'en sais rien ! m'écriai-je.

A ce moment-là, je ne me sentais pas précisément d'humeur à jouer aux devinettes.

— Demande à Tobias, ajoutai-je. C'est lui, le prédateur, ici. Il doit savoir !

J'avais dit ça comme ça. Je me sentis idiot avant même d'avoir fermé la bouche.

Mais Tobias ne se vexa pas. Il se contenta de dire :

< Mouvement. >

— Euh, ça signifie quoi, au juste ? voulut savoir Jake.

< Marco l'a dit : je suis un prédateur. Quand je chasse, j'observe les mouvements. Je chasse ce qui bouge. Exactement comme un chat. Si la proie reste immobile, elle est plus difficile à repérer. Si je tends l'oreille et que je n'entends pas de mouvement, c'est la même chose. Le cerveau du faucon est conçu pour détecter la vue ou le bruit d'un mouvement. >

— C'est ça ! s'écria Cassie.

Je fis un bond de près de soixante centimètres en l'air. Ce n'est pas dans le style de Cassie de se mettre à hurler comme ça.

— C'est ça ! Ça me tracassait depuis la toute première attaque. Comment ce Veleek pouvait-il savoir qui nous étions ? Comment pouvait-il déterminer que

Marco et Ax étaient des proies ? Marco, qu'est-ce que tu faisais au moment où la bête vous a attaqués ?

– Je démorphosais, répondis-je en haussant les épaules.

– Voilà ! s'exclama Cassie. La bête vous attaque précisément pendant que vous morphosez. Coïncidence ? Et aujourd'hui, quand vous avez été attaqués dans la forêt ?

– On morphosait, reconnut Jake. On était en train de morphoser en loups.

– Les deux attaques ont eu lieu au moment même où vous morphosiez, récapitula Cassie. Au moment précis. Intéressante coïncidence.

Nous restâmes tous parfaitement silencieux pendant les quelques secondes qui suivirent. Je m'efforçai de considérer tout ce que cela pouvait signifier : tant que je ne morphosais pas, je ne courais aucun risque. Pas plus qu'une souris qui reste immobile.

– Rachel ne le sait pas, remarquai-je d'une voix calme. Si du moins elle est encore en vie.

– Pourquoi le Veleek nous a-t-il laissés pour s'envoler vers la cabane de la forêt ? demanda Jake, avant de répondre lui-même à sa question. Parce que nous avions fini de morphoser, si bien que nous ne l'intéressions plus. Et, au même moment, il a senti une autre créature qui commençait à morphoser.

< Deux souris dans un pré. Disons que j'en pourchasse une, et elle court. Mais ensuite, elle se fige sur place. Et à ce moment, j'aperçois l'autre qui s'enfuit. Je... ou du moins le faucon, se lance à la poursuite de la deuxième souris. Le cerveau du faucon croit que c'est la même. Ce qui compte, c'est le mouvement. >

— Et pour ce chasseur d'animorphe, ce qui compte, c'est l'acte de morphoser. C'est ça qu'il repère et qui l'attire, expliqua Jake.

— Mais alors, pourquoi ne m'a-t-il pas attaquée quand j'ai morphosé au centre commercial ? s'étonna Cassie.

— Parce qu'il ne peut pas se trouver à deux endroits en même temps, répondis-je. Il doit y avoir des limites à son rayon d'action. Il était trop loin.

— Donc, nous ne courons aucun risque, ajoutai-je. Tant que nous ne morphosons pas.

— Tu veux dire que tant que nous nous abstenons de combattre les Yirks, nous ne courons aucun risque, observa Jake. Tu crois que c'est ce qu'on devrait faire, Marco ?

Tout le monde se tourna vers moi. Je haussai les épaules.

– Rachel n'est pas là pour nous donner son avis. Aussi, en son nom, je vais vous dire ce qu'elle aurait répondu : « Ce qu'on doit faire, c'est trouver un moyen de mettre une bonne raclée à ce fichu Veleek ! »

– Et qu'est-ce que Marco aurait répliqué à ça ? a demandé Cassie en souriant.

– Il aurait sans doute fait une remarque idiote et néanmoins très spirituelle, admis-je. Puis il aurait commencé à réfléchir à ladite question : botter le sale derrière puant de cette grosse outre à vent !

CHAPITRE 22
Rachel

Je rejoignis la civilisation. Ou du moins, je rejoignis une banlieue, un lotissement résidentiel. Je connaissais peut-être cet endroit, mais je ne m'en souvenais pas. J'étais peut-être déjà venue par ici, mais je n'en savais rien non plus.

Tout ce que je savais, c'était que mes pieds étaient écorchés et meurtris. Mes jambes étaient douloureuses et courbatues. Tout mon corps était courbatu. J'avais faim, j'avais soif et j'avais peur. Et j'étais dans un état de fatigue inimaginable.

J'avais besoin de dormir. Je voyais de la lumière à l'intérieur de la plupart des maisons devant lesquelles je passais. Pendant un moment, j'envisageai d'aller frapper à la porte de la première maison venue pour demander : « Écoutez, je ne sais pas qui je suis. Est-ce que je pourrais dormir dans votre lit ? »

Mais j'étais poursuivie par quelqu'un, ou quelque chose, et je ne savais pas en qui je pouvais avoir confiance. Tant que je n'aurais pas retrouvé la mémoire, je devrais être prudente. En outre, j'étais sale, échevelée, pieds nus et vêtue d'un ridicule justaucorps noir. Personne ne m'aurait laissée entrer.

Puis j'aperçus une maison où ne brillait aucune lumière. Sur la pelouse de devant, il y avait une pancarte qui indiquait : « Vendu ». Je traversai la pelouse humide, pour le plus grand délice de mes pieds.

Je jetai un coup d'œil par une fenêtre de la façade. Aucun meuble. La maison était vide. Je gagnai rapidement l'arrière du pavillon. Il y avait une piscine. Et je découvris un robinet installé derrière quelques buissons. Je me laissai tomber à genoux et fis couler à flots une eau fraîche dont je me désaltérai avec un bonheur infini.

– Bon, eh bien voilà une bonne chose de faite, me murmurai-je à moi-même.

Ensuite, j'entrepris d'inspecter tous les côtés de la maison. Elle était entièrement clôturée d'une haute haie. Personne ne risquait de me voir. J'essayai la porte de derrière : verrouillée. J'essayai la porte du garage : verrouillée. Puis, j'essayai une fenêtre. Oui !

Je me hissai sur le rebord et me glissai à l'intérieur. Il faisait sombre. La maison sentait la peinture fraîche.

– Il y a quelqu'un ? appelai-je d'une voix chevrotante.

Ma phrase résonna dans le vide. Je trouvai la cuisine et ouvris le réfrigérateur. La lumière me surprit. A l'intérieur, il n'y avait rien.

Je fouillai les placards. Vide. Vide. Vide. Ah ! Ah ! Juste là, sur le plan de travail : une boîte de gâteaux. Ils avaient sans doute été apportés par les peintres. Il y avait des empreintes de doigts couverts de peinture sur la boîte. Elle était ouverte, et elle ne contenait plus que la moitié des cookies, mais je m'en fichais. Je les dévorai en inspectant le reste de la maison vide.

Car elle était bien vide. Mais j'avais de l'eau et des cookies, et la moquette était assez moelleuse pour me permettre de dormir assez confortablement.

Je m'assis dans un coin du salon et j'achevai la boîte de gâteaux. Je me demandais qui avait vécu ici. Et qui d'autre allait venir s'y installer.

Mais par-dessus tout, je m'interrogeais sur moi. Qui étais-je ? Qu'est-ce que j'étais ? Et pourquoi une effroyable créature extraterrestre avait-elle tenté par deux fois de me tuer ?

Je ne me souviens pas du moment où je me suis

endormie. Mais plus tard, je me suis souvenue des rêves. Des cauchemars.

FLASH ! C'était sur le chantier de construction. Il faisait sombre. Une lueur qui descendait du ciel. Il y en avait d'autres avec moi. Est-ce qu'il y avait une fille ? Oui. Mais je n'arrivais pas à voir son visage. Ni le visage des autres. Sauf un... un garçon... Il s'est tourné et m'a fait face.

Un oiseau ! Il avait la tête d'un oiseau de proie !

FLASH ! Je me tenais en équilibre. Posant avec précaution un pied après l'autre. J'avançais sur une poutre de dix centimètres de large. Je me sentais gauche, maladroite. Mais lorsque je baissai les yeux sur mes pieds, je les vis se transformer. Ce n'était plus mes pieds, mais les délicates pattes de velours d'un chat.

Des gens applaudissaient. Non, pas tous. Il y en avait qui me haïssaient. Qui voulaient me tuer. Ils avaient quelque chose d'anormal. Quelque chose de terrible ! Des limaces ! Des limaces dans leur tête !

FLASH ! J'étais sous terre. Une vaste fosse, une immense carrière, mais recouverte d'un dôme de terre et de roche. Une mare d'eau grise et stagnante. Les limaces ! Elles étaient dans l'eau. Et tout autour de moi... des lames partout, comme des faux, des têtes de serpent...

Des fourmis gigantesques ! Non, non, j'étais une fourmi, moi aussi. Empestant l'acide formique. Elles arrivaient par centaines, telle une masse grouillante, attaquaient. Des fourmis aussi grandes que moi. Armées d'énormes pinces qui me découpaient vivante. « Démorphose ! hurlai-je dans mon rêve. Démorphose ! Morphose ! »

– Animorphs ! m'écriai-je en me réveillant.

Je bondis sur mes pieds et je me mis à palper tout mon corps avec frénésie. Qu'est-ce que j'étais ? Mais enfin qu'est-ce que j'étais ? Quelle créature pouvais-je donc être pour avoir de tels rêves ?

Les humains ne rêvent pas qu'ils sont des fourmis. Ils ne font pas des rêves si précis qu'ils peuvent sentir la pression des énormes grains de sable, le soudain manque d'air, la terreur, la vision irréelle des hordes de fourmis qui déferlent sur vous et vous taillent en pièces !

Je cherchais mon souffle. Mon cœur battait deux fois plus vite que d'habitude. Mon front dégoulinait de sueur, bien qu'il fasse plutôt frais dans cette pièce vide.

Animorphs. C'est ce que j'avais crié. Qu'est-ce que ça voulait dire ?

Et puis…

Bam ! Bam ! Bam !

– Qui que vous soyez, sortez de cette maison ! C'est la police qui vous parle !

– Ouaaah ! criai-je avant de plaquer ma main sur ma bouche.

Des éclats de gyrophares illuminèrent la pénombre qui m'entourait. Des faisceaux de projecteurs commencèrent à fouiller l'obscurité de la maison vide à ma recherche. Je me réfugiai précipitamment dans un angle.

– Ne nous obligez pas à venir vous chercher ! cria un policier. Des voisins nous ont prévenus que quelqu'un s'était introduit ici. Alors sortez sans faire d'histoire !

Piégée ! Je n'avais plus qu'à… je n'avais plus qu'à me rendre.

Non ! Non ! C'était des ennemis. Ils étaient partout. Je ne pouvais pas… je ne pouvais pas…

– Je vais compter jusqu'à trois, et vous aurez intérêt à sortir avec les mains sur la tête, ordonna un policier.

Il fallait que j'arrive à m'enfuir ! J'avais besoin de réfléchir. De trouver qui j'étais. Ce que j'étais. Mais j'étais encerclée.

Morphoser ! Comme lorsque j'étais devenue un ours. Mais cette fois, je ne devais pas me changer en ours. Parce que j'ignorais si celui qui était en moi était blessé ou non.

Je fouillai tant bien que mal la mémoire trouble de mes rêves. Qu'est-ce que j'avais vu ? Quelles sortes d'images avais-je aperçues ? Les fourmis ? Non ! Ça jamais ! Jamais plus, les fourmis ! Je le sentais jusque dans la moelle de mes os.

Quelque chose de plus grand. De plus puissant.

Oui !

Les policiers tapaient sur la porte et hurlaient tant qu'ils pouvaient. J'avais encore la chair de poule à cause de mes affreux cauchemars. Mais je parvins à me calmer. Je me concentrai sur une image venue de mes rêves.

C'était quelque chose de grand. De très grand. Trop grand pour que la police puisse l'attraper.

— Ohhh ! m'écriai-je lorsque mon nez et ma lèvre supérieure jaillirent en avant. Et continuèrent de s'allonger jusqu'à toucher le sol...

Et en même temps, je grandissais, grossissais et remplissais la pièce tout entière !

– Allez, maintenant, sortez de là ! Ou nous allons entrer !

« Ne vous inquiétez pas, monsieur l'agent, songeai-je. Je serai bientôt dehors.»

CHAPITRE 23
Jake

On a eu une chance incroyable d'avoir vu ce qui
arrivait.

Notre réunion s'acheva, nous laissant tous furieux,
inquiets et bouleversés. Personne ne voulait admettre
que Rachel et Ax aient pu se faire tuer. C'est vrai, on
pouvait dire qu'Ax était un ami récent. Et un extraterrestre. Pas exactement quelqu'un avec qui on avait
grandi. Mais Rachel était ma cousine. Elle était la
meilleure amie de Cassie. Et nous avions du respect
pour elle. Elle avait un courage extraordinaire. Si
extraordinaire qu'elle nous rendait tous bien plus cou-
rageux que nous l'aurions été si elle n'avait pas été là.

Nous sommes sortis tous les quatre dans la nuit.
Tobias s'envola en direction de la forêt. Nous l'avons
regardé s'éloigner dans l'air calme de la nuit. Marco et
moi, nous avons récupéré nos vélos.

– Cassie ? C'est toi qui es là, dehors ?

C'était sa mère, dont la silhouette se découpait sur le seuil de leur maison.

– Oui, m'man. Juste ici.

– L'émission que tu aimes bien va commencer. Tu veux que je te l'enregistre ?

– J'arrive dans deux minutes, répondit Cassie. J'étais juste en train de parler avec Jake et Marco.

– Ça va, Jake ? Salut, Marco !

Nous l'avons saluée à notre tour.

– Bon, ne restez pas dehors trop longtemps, nous conseilla la mère de Cassie. Il est presque neuf heures.

Sur quoi, elle disparut à l'intérieur.

– Neuf heures ? Les gars, je ferais mieux de rentrer à la maison, s'exclama Marco. Ça risque de chauffer pour moi.

– Je vous accompagne jusqu'à la route, nous proposa Cassie.

Nous avons suivi en silence la longue allée, avant de descendre le chemin en terre qui reliait la ferme à la grande route. Marco et moi, nous poussions nos vélos. On n'entendait que le bruit de nos pas et le grincement de la chaîne mal graissée du VTT de Marco.

– Si ça se trouve, elle est déjà rentrée chez elle,

et on s'inquiète pour rien, fis-je. Et Ax n'a probablement aucun problème. Je veux dire, qui sait ce qu'un
Andalite peut bien être en train de faire ?

– Au moins, il fait chaud, remarqua Cassie. Si
Rachel est quelque part dehors, elle n'aura pas froid.
Et il y a un bon clair de lune pour l'aider à retrouver le
chemin de sa maison, ajouta-t-elle à voix basse.

Je suivis son regard. La pleine lune était haut dans
le ciel, entourée de millions d'étoiles. On aperçoit toujours beaucoup plus d'étoiles quand on se trouve
autour de la ferme de Cassie.

– Regardez ! s'écria Marco.

Quelque chose voila la lune. L'ombre passa rapidement et le clair de lune ne tarda pas à nous illuminer à
nouveau. Je vis ce qui ressemblait à un étincelant tourbillon de poussière féerique. Un tourbillon qui plongeait
vers un quartier excentré dont on apercevait les
lumières au loin.

– Qu'est-ce que c'est ? C'est un nuage, ça ? se
demanda Cassie.

Je me tournai vers elle et je répondis :

– Je ne crois pas.

– Tu sais ce que c'est ! s'exclama Marco. Qu'est-ce
qu'on peut faire ?

– Un chasseur d'animorphs, lâcha Cassie d'une voix sourde. Il chasse quelqu'un. Ax. Ou Rachel.

– Deux possibilités, résumai-je. Rien faire. Ou tenter de faire diversion.

– Faire diversion ? demanda Marco. Comment ?

– Comme en jouant à chat, expliquai-je. Cette bestiole chasse quiconque morphose, pas vrai ? Alors on n'a qu'à lui donner quelque chose à chasser.

– Il faut qu'on l'éloigne de ces maisons, intervint Cassie. Cette chose déchiquette absolument tout ce qui se trouve sur son passage !

Marco hocha la tête d'un air consterné.

– Former des cibles mouvantes en espérant que tout va bien se passer. Houla, les mecs ! Ça promet d'être franchement déplaisant.

– Comment on va aller là-bas ? fit Cassie. On ne peut pas morphoser pour y aller en volant. Si on morphose, on l'attire sur ma maison !

Elle avait raison. Et les maisons vers lesquelles se dirigeait le Veleek étaient à près d'un kilomètre.

– Est-ce qu'il y a les clés dans ce machin ? demanda Marco.

Cassie et moi, nous avons regardé dans la direction qu'indiquait son index. Pour découvrir le vieux pick-up

cabossé de son père. La bonne vieille camionnette
qu'il utilisait quand il circulait autour de la ferme.

— Il n'en est pas question ! s'écria Cassie.

— Si ! C'est de ça dont il est question ! répliqua
Marco.

Ce qui me laissait le pouvoir de décision :

— Allons-y.

CHAPITRE 24
Rachel

J'étais devenue très, très grande.

Les policiers étaient toujours dehors, occupés à piétiner la pelouse, à hurler et à m'ordonner de sortir.

J'estimai donc qu'il valait mieux que je fasse ce qu'ils voulaient.

Je me dirigeai vers la porte d'entrée. Ce n'était pas parce que la porte était assez grande. Mais je supposai que le mur de la façade, lui, serait assez grand… Je pouvais sentir la progression de la transformation. Dans une minute, maintenant, l'animorphe serait achevée…

BRROOYYYNNKRRR !

Un bruit atroce derrière moi ! Comme une scie circulaire mordant dans le métal !

Braaahiiirhhh ! fis-je, dans un mélange d'effroi et de rage.

BRROOYYYNNKRRR !

Tout à coup, le mur arrière de la maison avait disparu ! La bête ! C'était la bête !

Tête baissée, trompe repliée, je chargeai la porte de devant.

Krrraaounch !

Je frappai la porte. Elle gicla comme un bouchon de champagne. Le chambranle vola en morceaux. Puis le mur qui entourait la porte se mit à gonfler, à gonfler… avant d'éclater comme un bouton d'acné.

Et je sortis à l'air libre. Une créature de plusieurs tonnes. Une combinaison démente et hideuse de fille humaine et d'éléphant d'Afrique. Le résultat imprévisible de mon animorphe incomplète consistait en une gigantesque créature pourvue d'une longue trompe, de minuscules oreilles humaines, d'énormes pattes d'éléphant et d'une chevelure blonde.

Les policiers semblèrent quelque peu surpris.

Brrraaahiiirhhh ! ai-je à nouveau barri en brandissant ma puissante trompe vers le ciel.

Quatre policiers me contemplaient avec la même expression d'absolue, d'intégrale incrédulité. Quatre bouches béantes. Des paupières qui clignaient. Il y en avait même un qui se frottait les yeux.

Et puis, ils virent apparaître quelque chose d'encore plus stupéfiant.

La créature de poussière passa à travers la maison à quelques mètres derrière moi, la transformant en un tas d'allumettes. Je filai au triple galop.

Quand on voit un éléphant, on a du mal à imaginer qu'il puisse seulement courir. Mais croyez-moi, c'est un animal qui peut vraiment foncer si le besoin s'en fait sentir. Les éléphants sont capables de galoper à quarante kilomètres à l'heure. Plus vite que le plus rapide de tous les athlètes humains.

Malheureusement, il y a aussi un inconvénient avec les éléphants. Ils sont énormes. Trop énormes pour pouvoir esquiver, se faufiler et zigzaguer. Trop énormes pour se cacher.

Je dévalais cette paisible rue résidentielle en achevant mon animorphe sans ralentir ma course. Mais je savais que je n'arriverais pas à m'échapper.

Pan ! Pan ! Pan ! Pan !

Les policiers tiraient ! Sur moi ? Sur le monstre de poussière ? Je n'en savais rien. Je m'en moquais. Les balles ne signifiaient rien pour moi, pas plus que pour le monstre qui me poursuivait.

Qui me poursuivait ! Une trentaine de mètres

derrière moi, tel un gigantesque mur volant de crocs grinçants et de griffes vrombissantes.

Et il gagnait du terrain !

Je piétinai le jardin de quelqu'un, écrabouillai de délicats massifs de fleurs sous mes énormes pattes rondes, et je détruisis une clôture. Je tournai dans une ruelle entre deux maisons. Il y avait un camping-car garé entre la bête et moi.

BRROOYYYNNKRRR !

Il n'y avait plus de camping-car ! Du coin de l'œil, je vis un unique pneu rescapé rouler le long de la rue. Tout le reste avait été déchiqueté.

Dès lors, j'ai su que c'était fini. Si je continuais à fuir, en me pourchassant, la bête allait pulvériser sur son passage des maisons où dormaient des innocents. Je ne pouvais pas laisser faire ça.

« C'est fini, réalisai-je. C'est fini. Je ne peux pas fuir. Je ne peux pas vaincre. » Je me retournai pour faire face à la bête.

Je la vis ralentir. Elle resta suspendue en l'air devant moi. Un cauchemar de crocs grinçants, d'yeux fous et de griffes tournoyantes. Au même moment, deux immenses défenses d'ivoire jaillirent de ma bouche, achevant mon animorphe.

Des sortes de vrilles, de fins tentacules, émergèrent de la bête. C'était comme des cordes. Des cordes vivantes qui s'enroulaient autour de mon énorme corps. Je me sentis emprisonnée. Je n'arrivais plus à respirer ! Je me débattais, les cordes ne faisaient que resserrer leur étreinte. La bête de poussière tourbillonnait autour de moi et me recouvrait entièrement.

Je n'y voyais plus rien. Je pouvais à peine respirer.

Puis, la bête me souleva.

Enfin… elle essaya.

Je me sentis monter, monter… de trente centimètres, peut-être. Puis nous sommes retombés sur le sol.

A nouveau, la bête tenta de me soulever. Cette fois, nous nous sommes élevés de plus de cinquante centimètres, peut-être même d'un mètre.

Pour nous reposer quelques instants plus tard.

Je sentis alors renaître en moi une minuscule étincelle d'espoir.

J'ai lu une fois dans un livre que le plus gros des éléphants qu'on ait jamais trouvé pesait plus de dix tonnes. En général, leur poids varie entre trois et sept tonnes. J'ignorais ce que pouvait peser mon corps d'éléphant. Probablement pas dix tonnes. Mais ça ne changeait pas grand-chose. Il était lourd. Extrêmement lourd. Trop lourd pour que la bête de poussière soit capable de l'emporter.

< Hi ! Hi ! Hi ! Je suis un peu lourde pour toi, hein ? >

A cet instant, par-dessus tous les sons furieux, grinçants et tourbillonnants de la créature de poussière qui s'efforçait de me soulever, je perçus un soudain sccrriiiichhh ! qui provenait apparemment de pneus torturés par un brutal blocage de roues. Comme si un très mauvais conducteur fonçait dans notre direction.

CHAPITRE 25

Marco

– Aaaaaaaaahhhhh ! hurla Cassie.

– Attention ! Fais gaffe fais gaffe fais gaffe fais gaaffe ! cria Jake.

– Vous pouvez pas la fermer un peu, tous les deux ? demandai-je. J'essaie de conduire, moi !

– La voiture ! La voiture ! La voiture ! reprit Jake.

Je donnai un brusque coup de volant sur la gauche. La voiture en question nous croisa, en klaxonnant. Au passage, le conducteur sortit sa main par la fenêtre et fit avec ses doigts un signe peu poli.

– C'est grossier, protestai-je. Et tout à fait injustifié. Blong !

– Aaaaaaaaaaaahhhhhh !

– Allons, ce n'est qu'une poubelle, fis-je en souriant. Détendez-vous.

Blong ! Blong ! Blong !

– Bon, d'accord. Cette fois, c'est trois poubelles, admis-je.

– Mais tu vas descendre de ce trottoir, espèce de fou furieux ? s'énerva Jake.

Je tournai le volant sur la droite. Nous sommes descendus du trottoir et avons rebondi en éraflant (à peine) une voiture en stationnement, puis...

Blong ! Blong ! Blong !

– Dis-moi franchement, Marco, tu as de la haine pour les poubelles ? me demanda Jake. Est-ce que c'est ça, ton problème ? Est-ce que tu éprouves de la haine pour les poubelles ?

– Je suis incapable de conduire avec quelqu'un qui me crie dans les oreilles, répliquai-je.

– Tu es incapable de conduire tout court ! s'exclama Jake.

– A gauche ! Tourne à gauche ! Là, là ! Tourne à gauche ! C'est par là, s'écria Cassie, cessant un temps de piailler pour s'efforcer de me guider.

Je virai sur la gauche. Malheureusement, je manquai la bonne rue. Mais heureusement, les gens qui habitaient ici n'avaient pas planté d'arbres dans leur jardin.

Blong ! firent les vieux amortisseurs des roues en

franchissant de nouveau le trottoir. Je continuai à accélérer et labourai joyeusement la pelouse.

– Cool !

– Marco, je vais te tuer, annonça Jake d'une voix étrangement calme. Si jamais on s'en sort vivants, je t'assure que je vais te tuer.

– Tu as dit que tu savais conduire ! gronda Cassie.

Je haussai les épaules. En fait, j'avais simplement dit que j'avais marqué des millions de points au génial jeu Formule 1, un excellent jeu vidéo.

– Bon, d'accord, reconnus-je. C'est pas exactement comme dans Formule 1. Mais je fais de mon mieux, quoi.

Blong ! Blong ! Je me retrouvai sur la route.

Soudain, un éléphant débarqua au milieu de la rue, un pâté de maisons plus loin. Un éléphant avec de petites oreilles roses.

Le Veleek le suivait de près.

– C'est Rachel ! s'écria Cassie. Elle est toujours vivante !

– Ouais, mais peut-être plus pour longtemps, fit Jake. Je vais morphoser. Marco ? Suis cet éléphant !

L'éléphant disparut derrière un camping-car. Le Veleek le pulvérisa.

L'éléphant se retourna pour affronter la bête. Il planta fermement ses énormes pattes dans le sol, brandit sa trompe et fit face aux cent gueules du monstre innommable.

– Ah oui, ça c'est Rachel, sans l'ombre d'un doute, observai-je.

J'écrasai l'accélérateur. Laissant une belle quantité de gomme sur la chaussée, nous foncions le long du pâté de maisons.

– Amène-toi un peu, grosse boule de crasse, je suis là ! hurla Jake.

Son corps se couvrait déjà d'une fourrure orange rayée de noir. Ses dents commençaient à se changer en crocs de tigre qui dépassaient de dessous sa lèvre supérieure.

Tout à coup, des cordages vivants, des sortes de tentacules, se projetèrent autour de l'énorme corps de Rachel. La bête de poussière l'enveloppa. La recouvrit entièrement.

– Non ! s'écria Cassie. Rachel ! Non !

Le Veleek commença à s'élever du sol.

Puis il redescendit.

– Oh, oh ! remarquai-je. Il ne cherche pas à nous tuer ! Il veut nous capturer ! Il essaie d'emporter Rachel.

– Et il n'arrive pas à la soulever, ajouta Cassie. Elle est trop lourde.

A cet instant précis, le Veleek nous remarqua. Ou, du moins, il remarqua Jake qui était en train de morphoser en tigre.

Il lâcha Rachel. Elle tomba de trente centimètres à peine, ce qui ne l'empêcha pas de fendre le revêtement de la route sous son poids...

– Je vais voir Rachel, s'écria Cassie.

Elle commença à essayer de passer par-dessus Jake pour sortir. Mais elle n'y parvint pas parce qu'il était déjà à moitié tigre et qu'il débordait de son siège.

– Jake, tu ferais mieux de monter derrière, dans la benne, mon vieux. Tu commences à devenir vachement grand, dis-je en freinant pour nous arrêter.

Il parvint à ouvrir la porte et s'extirpa de la cabine. Le tout avec une certaine maladresse, car ses jambes n'étaient ni celles d'un homme, ni celles d'un tigre, mais formaient un bizarre mélange des deux. Quant à ses mains, c'était des pattes griffues et couvertes de fourrure, pas vraiment conçues pour manœuvrer une poignée de porte d'automobile.

Mais Jake parvint tant bien que mal à sortir et sauta dans la benne du pick-up. Cassie sortit juste derrière lui.

— Bonne chance ! nous souhaita-t-elle en claquant la portière.

Dans une bourrasque de vent, le Veleek se précipita vers nous.

Je passai la marche arrière et appuyai à fond sur le champignon.

Blang !

Je grognai. Un sombre idiot avait trouvé le moyen de garer sa voiture à l'endroit précis où je voulais passer.

< Fais demi-tour ! > me hurla Jake en parole mentale.

Je tournai le volant comme un forcené tout en écrabouillant l'accélérateur. C'était carrément Hollywood ! Les pneus se mirent à hurler, à fumer comme l'enfer, et puis, zoooom ! Nous sommes partis comme une balle !

Un tigre sur la plate-forme arrière, je fonçais au volant d'un pick-up que je savais à peine conduire, et j'étais poursuivi par le monstre le plus dangereux que j'aie jamais vu.

Plus tard, la terreur allait m'envahir. Mais là, maintenant, à cet instant précis, je ne me disais qu'une chose : « Qu'est-ce que c'est cool... »

CHAPITRE 26
Jake

La bonne nouvelle, c'était que Marco était sorti du lotissement, si bien qu'il ne pouvait plus se livrer au massacre des poubelles.

La mauvaise nouvelle, c'était que nous roulions désormais sur l'autoroute.

< Passe sur la gauche, sur la gauche ! Pas à droite ! >

– Hé, ça va maintenant, c'est tranquille, me cria Marco en ouvrant la vitre arrière de la cabine du pick-up. Cette fois, c'est tout à fait comme dans le jeu. No problem !

< Il ne fait pas nuit dans le jeu vidéo. >

– Mais si ! Et le passage dans le tunnel ?

< Tu veux parler de l'endroit où t'exploses à chaque fois ? >

Notre engin déboulait à plus de cent dix kilomètres

par heure sur l'autoroute en louvoyant au milieu d'un flot de feux rouges étincelants. J'étais à mi-chemin de mon animorphe de tigre. Je faisais délibérément traîner la transformation afin d'attirer le Veleek.

Et ça marchait. Le Veleek nous suivait. J'étais dans la benne tanguante et bringuebalante d'un vieux pick-up pourri, poursuivi à environ cinq voitures de distance par une horreur de plus de quinze mètres de large, un monstre invulnérable qui détruisait tout sur son passage.

De temps à autre, des conducteurs nous offraient aimablement leurs conseils avisés. Je parvenais à en saisir des extraits lorsque nous les dépassions ou quand nous les croisions.

– ... abrutis ! Qu'est-ce que vous fou...

– Espèces de sombres conn...

– Où tu l'as eu, ton permis ? Petits trous du...

< Il nous rattrape ! > avertis-je Marco.

– Ce machin ne peut pas rouler plus vite !

< Tant mieux ! > soupirai-je avec soulagement.

– On va faire du tout-terrain ! Pour le semer !

< Noooooonnnn ! >

Mais c'était trop tard.

Zaaaggg ! Blonk ! Khablang ! Blangblangblangblangblang ! Blong !

La camionnette s'éjecta hors de la route, bondit au-dessus d'un fossé, cassa une clôture de fil de fer et fonça droit vers les arbres.

Un arbre à gauche ! Un arbre à droite ! Arbre ! Arbre ! Arbre ! Arbre !

Les branches griffaient les flancs du véhicule. Et derrière nous, le Veleek taillait son chemin à travers les arbres.

BRROOYYYNNKRRR !

< Marco, j'ai presque fini de morphoser. Je vais sauter. Laisse-moi cinq minutes, et ce sera ton tour. >

– D'ac' ! cria-t-il. Eh, Jake ? Fais gaffe à toi, vieux !

< Et toi, essaie de ne pas pulvériser le vieux pick-up du père de Cassie, d'ac' ? >

– Tiens-toi prêt. Je ralentis…

Il écrabouilla les freins. Blam ! La camionnette dérapa et une portière alla rebondir contre un tronc d'arbre… Je sautai de la plate-forme arrière. Marco écrasa l'accélérateur et fonça à travers les broussailles en faisant rugir le moteur. Je touchai le sol avec la souplesse du félin que j'étais devenu. Le tigre qui était en moi savait où nous étions. Il le savait jusque dans la moelle de ses os. C'était un animal né et conçu pour vivre dans les nuits sombres et les forêts touffues.

Au milieu d'un flot d'informations sensorielles, je vis, sentis, entendis tout l'environnement qui m'entourait. Mes yeux perçaient les ténèbres. Mes tympans percevaient les moindres frôlements. Mon odorat exacerbé me racontait les aventures des cerfs, des loups et des cochons sauvages qui étaient passés par là.

Mais avant tout, j'avais besoin de l'agilité et de la vitesse des félins. Si bien que j'achevai mon animorphe sans traîner. Aussi longtemps que personne d'autre ne morphoserait et ne détournerait son attention, le Veleek allait me poursuivre. Du moins, c'est ce que j'espérais.

BRROOYYYNNKRRR !

Il était à mes trousses ! Je fis demi-tour à la vitesse de l'éclair et fis la seule chose que le Veleek aurait été incapable de prévoir : je fonçai droit sur lui !

La créature de poussière hésita un instant, puis elle s'immobilisa.

– Grrrraaaooowwwrrr !

Je laissai échapper un grondement qui aurait fait mourir de terreur n'importe quel homme normalement constitué.

Puis je libérai toute la puissance invraisemblable de mes muscles bandés et bondis dans les airs, toutes griffes dehors. C'était une attaque qui aurait tué net n'importe quel animal marchant à la surface de cette planète. Mais elle n'aurait eu aucun effet sur le Veleek.

A la dernière seconde, juste avant que mes griffes n'atteignent ses innombrables rangées de crocs grinçants et de griffes tournoyantes, je rentrai ma tête entre mes omoplates, repliai mes pattes vers l'arrière et retombai sur le sol exactement sous la bête de poussière.

Shwaaam ! Juste au-dessous. Juste sous le Veleek, avant de bondir droit devant moi ! Je dus maintenir ma queue orange rayée de noir au ras du sol pour qu'elle ne soit pas déchiquetée.

< Voyons un peu à quelle vitesse tu es capable de te retourner, espèce de monstre pourri ! >

Ah, ah ! Pas bien vite. Il fallut de longues secondes au Veleek pour pivoter sur lui-même. Et je me suis dit : « Tiens, tiens. Cette chose a donc un point faible, en fin de compte. »

Un point faible. Certes. Mais ce n'était pas assez.

BRROOYYYNNKRRR !

Elle se mit à pulvériser les arbres et les fourrés telle la broyeuse incontrôlable qu'elle était.

Les tigres sont rapides. Ils sont doués d'une force

terrible. Mais ils ne sont pas très endurants. J'étais un sprinter. Pas un coureur de marathon.

Je pris la fuite et détalai à toute allure entre les arbres, virant brusquement à gauche avant de me jeter sans prévenir sur la droite. Enchaînant brusques crochets sur demi-tours imprévisibles, pour que ce gros lourdaud de Veleek soit incapable de m'attraper. Mais j'avais du mal à tenir ce rythme. Je ne tardai pas à me retrouver complètement essoufflé. Haletant. Langue pendante. Épuisé. Il fallait que quelqu'un fasse diversion. J'espérais que Marco pourrait s'en charger à temps.

Notre plan consistait à faire courir le Veleek d'un côté à l'autre, d'un Animorphs à l'autre. Il voulait chasser les Animorphs ? On allait lui en donner !

Ce n'était pas un plan très élaboré. Il ne pouvait marcher que si on pouvait épuiser la créature. L'ennui, c'est que nous étions en train de nous épuiser plus vite qu'elle.

Je bondis en l'air pour me réfugier dans un arbre. Mes griffes s'enfoncèrent dans l'écorce. Mes muscles fourbus me projetèrent de plus en plus haut entre les branches.

BRROYNNKR !

Le Veleek s'attaquait déjà à l'arbre dans lequel j'étais grimpé ! Je regardai vers le bas et je le vis exactement sous moi. L'arbre tenait encore debout, mais le Veleek avait rongé sa base, et il poursuivait son chemin vers le haut en déchiquetant ce qu'il en restait.

Je bondis dans l'obscurité.

Je tombai dans la nuit, toutes griffes dehors.

Le Visser s'attardait sous à l'arrière de Chapman, un
poids en lui se regonflant lentement que le bitume. Un
tombait sous mon Je ne leur attaquaient de front de
Visser avait sous la poissière à sa Je

CHAPITRE 27
Rachel

La créature de poussière me lâcha. Je tombai sur
la route. Je tombai si lourdement que le bitume éclata
sous mon poids.

FLASH ! Je volais. J'étais un oiseau. Un aigle. J'allais
voir Tobias. J'allais lui dire que j'allais… que j'allais
quoi ? Quelque chose. Des oiseaux ! Surgis de nulle
part, tout à coup ! Tout un essaim ! Ils m'attaquaient,
de front, sur les côtés. Virer, virer et piquer pour leur
échapper ! Un arbre ! Vlan !

Quoi ? Qu'est-ce que ça voulait dire ? Tobias ! Je me
souvenais d'un nom !

Je vis la créature de poussière se disperser, puis se
reconstituer pour se lancer à la poursuite d'une
camionnette qui s'éloignait en zigzaguant d'inquiétante
façon le long de la rue. Droit sur une voiture innocemment garée.

Et puis, j'aperçus un tigre ! Non, pas tout à fait un tigre. Une chose à moitié humaine, à moitié tigre. Un monstre ! Il sortit par la portière et grimpa sur la plate-forme arrière de la camionnette.

Et quelqu'un d'autre descendit du véhicule au même moment. Une fille. Petite. Noire de peau. Vêtue d'une salopette.

FLASH ! Le chantier de construction. Là où l'extra-terrestre s'était posé. Elle y était ! Elle y était ! Je connaissais cette fille. Mais... est-ce que c'était une amie ? Ou une d'entre eux ? Une des ennemis ?

– Rachel ! cria la fille. Est-ce que ça va ?

Rachel. Oui. C'était comme ça que le cerf-scorpion m'avait appelée à la cabane en flammes. Rachel. Oui. C'était mon nom.

Oui ! C'était mon nom !

FLASH ! Une femme qui disait : « Rachel, je sais que tu n'aimes pas les haricots, mais fais-moi le plaisir de les manger quand même, c'est bon pour ta santé. »

FLASH ! Une fille, plus jeune que moi, qui disait : « Rachel, Rachel, Rachel ! Y en a jamais que pour Rachel, par ici ! »

FLASH ! Une voix d'homme, surgie de nulle part :

« Et maintenant, à la poutre, c'est au tour de Rachel... »

Oui ! Je me souvenais ! J'étais Rachel.

Mais qui était cette fille noire de petite taille qui m'appelait ? Et qu'est-ce que j'étais ?

– Rachel ? Tu peux m'entendre ?

< Qui êtes-vous ? >

– Comment ça, qui je suis ?

< Qui êtes-vous ? hurlai-je en parole mentale. Dites-le-moi ! Dites-le-moi, ou je vous écrabouille ! >

– Rachel, c'est moi, Cassie !

< Cassie ? >

– Dis, est-ce que tu te sens bien ?

< Non. Pas du tout. Est-ce que vous êtes mon amie ? >

– Rachel, ça fait des années que je suis ton amie, prétendit la fille qui disait s'appeler Cassie.

< Ma mémoire... Je ne me souviens pas. Cassie ? Quelle sorte de créature suis-je ? >

La fille me fixa pendant un moment. Je pus lire le doute dans ses yeux. Puis elle regarda autour de nous dans la rue. Les premiers flics étaient partis à la pour-suite du pick-up fou. Mais d'autres sirènes se rappro-chaient de plus en plus.

– Tu es humaine, Rachel.

< Non, enfin, je veux dire, oui, je sais. Mais je suis aussi quelque chose d'autre. Regarde-moi. Comment est-ce que je peux faire ça ? Qu'est-ce que je suis ? >

Nos regards se rencontrèrent. D'humain à éléphant. J'imagine que ça devait paraître plutôt bizarre aux gens effrayés, à peine tirés de leur sommeil, qui observaient la scène de derrière leur fenêtre.

– Tu es une Animorphs, Rachel. Une Animorphs. Et je crois qu'il t'est arrivé quelque chose qui a troublé ta mémoire. Mais à présent, mon amie, tu dois me faire confiance.

Animorphs ! Le mot de mon rêve.

Lui faire confiance ? Faire confiance à cette fille qui disait s'appeler Cassie et prétendait être mon amie ? Je la dévisageai de toute ma hauteur d'éléphant à travers mes yeux d'éléphant. Pouvais-je lui faire confiance ? Comment savoir ? Comment en être sûre ?

< Cassie ? > fis-je.

– Oui.

< Dis-moi quoi faire. >

CHAPITRE 28
Ax

Les Yirks me mirent dans une boîte. Pas une cage, une boîte en Ramonite entièrement close avec des parois lisses.

Je restai dans cette boîte pendant un temps qui dura plusieurs heures terriennes. Et je sentis le désespoir m'envahir. Ce désespoir particulier qui naît du déshonneur. Vysserk Trois avait tué mon frère. Selon les lois et les coutumes de mon peuple, je devais venger son meurtre. J'étais obligé de tuer Vysserk Trois, si jamais j'en avais la possibilité.

Je venais justement de me retrouver face à lui. Et je n'avais rien fait. Oui, j'étais alors entouré de Hork-Bajirs. Et, parce que j'étais jeune et que je n'étais pas encore un véritable guerrier andalite dans toute sa plénitude, je pouvais dire que tout le poids de la vengeance ne m'incombait pas encore.

Mais j'éprouvais une sensation amère. La sensation amère et terrible de savoir que je m'étais retrouvé face à Vysserk Trois et que je ne l'avais pas frappé. Est-ce que j'avais gâché mon unique chance de vengeance ?

Je me repassai la scène dans mon esprit. J'étais encerclé par des Hork-Bajirs, mais Vysserk Trois lui-même était à portée de ma queue. Est-ce que j'aurais pu le frapper ? Est-ce que j'aurais pu l'atteindre avant que les Hork-Bajirs ne fassent feu et me désintègrent ?

Non. La logique disait non. Mais, au fond de moi-même, j'éprouvais un affreux doute. Le déshonneur est une chose terrible. Bien pire que la mort pour un guerrier andalite.

Soudain, un des murs de ma cage miroita et devint transparent. Le Ramonite est un métal capable de se distendre au point de s'ouvrir, de devenir opaque ou translucide en fonction de l'alignement de ses molécules.

Je pouvais maintenant voir la pièce dans laquelle se trouvait ma cage : c'était la passerelle de commandement du vaisseau Amiral de Vysserk Trois.

Vysserk se trouvait sur une plate-forme dressée au

centre d'une pièce triangulaire. Le long des trois côtés de la passerelle, il y avait différents postes de contrôle manœuvrés par des Taxxons et des humains-Contrôleurs. Les Taxxons sont des espèces de vers géants. Ils se déplacent sur deux rangées de pattes pointues comme des aiguilles, comparables à celles des mille-pattes terriens. Le premier tiers de leur corps reste dressé à la verticale et, au lieu de pattes, il est pourvu de paires de bras peu puissants, mais très agiles.

Un alignement d'yeux rouges et globuleux entoure l'extrémité supérieure du ver. Et il a une bouche circulaire ouverte en permanence.

Les Hork-Bajirs étaient une race de créatures pacifiques qui furent réduites en esclavage par les Yirks. Mais les Taxxons ont choisi de leur plein gré de s'allier aux Yirks. Chaque Taxxon accueille désormais un Yirk dans son affreuse tête, ce qui aboutit à une diabolique combinaison entre l'intelligence du Yirk et la répugnante malice propre au Taxxon.

Les Taxxons se chargent en général des travaux les plus subtils. Les Hork-Bajirs servent d'hommes de troupe. Quant aux nouveaux esclaves humains, les Yirks commencent seulement à les intégrer au sein de leur empire.

Flottant dans les airs devant Vysserk Trois, il y avait un hologramme. Il était visiblement projeté de très très loin. Son image était déformée et sa luminosité excessive, ce qui lui donnait un aspect irréel, onirique.

< J'ai pensé que tu pourrais apprécier ce spectacle, m'annonça Vysserk Trois. Nous avons eu la chance de pouvoir établir une liaison visuelle. Mon Veleek s'approche d'un autre membre de ta petite bande. Tu vas bientôt avoir de la compagnie. >

L'hologramme miroitait et tremblotait, mais j'arrivais à voir le Veleek s'ouvrir un chemin au milieu des arbres dans la forêt. Et soudain, je vis surgir un éclair orange et noir. Un tigre. Prince Jake !

< Il y a quelques animaux magnifiques sur cette planète, commenta Vysserk Trois. Il va falloir que j'acquière un de ceux-ci. Voyez avec quelle grâce il se déplace ! Mais là, il s'épuise. C'est un tueur rapide. Mais il est incapable de supporter un long combat. >

Tout à coup, le tigre qui était Jake bondit dans un arbre. Le Veleek commença à dévorer l'arbre. Le prince Jake bondit dans les airs.

Je pus à peine voir le tigre toucher le sol. Il découvrit ses crocs, mais il était visiblement trop fatigué pour continuer à courir. Dans une seconde, tout serait fini. Le Veleek allait envelopper l'animal et l'amener à Vysserk Trois.

Mais à cet instant précis, le Veleek hésita. Vysserk Trois se raidit.

Le Veleek se dispersa et, telle une tornade, s'éloigna à une vitesse prodigieuse.

< Qu'est-ce qui se passe ? > hurla Vysserk Trois.

Chaque Taxxon, Hork-Bajir et humain-Contrôleur présent sur la passerelle de commandement tressaillit. Un des humains-Contrôleurs s'avança timidement.

— Vysserk, le Veleek a dû sentir une autre animorphe.

< Pourquoi est-ce qu'il ne m'apporte pas celle-là d'abord ? >

— Vysserk, comme tu ne l'ignores pas, notre connaissance de ce Veleek n'est pas parfaite. Je peux seulement émettre des conjectures. Je...

Soudain, Vysserk Trois fit siffler sa queue d'Andalite, plaquant son extrémité tranchante contre la gorge tremblante du Contrôleur.

< Émet de rapides conjectures >, lui ordonna-t-il.

— Il... il... il... Vysserk, il se nourrit d'énergie. Il sent l'énergie. Nous l'avons rendu sensible au champ d'énergie qui se crée au cours de l'animorphe. Mais ce rebelle… le tigre, a cessé de morphoser. L'attraction s'est donc affaiblie. Le Veleek allait capturer ce tigre, mais… mais un autre champ d'énergie a dû être créé. Le Veleek l'a senti et est parti vers cette nouvelle source d'énergie.

Vysserk Trois retira sa queue de la gorge de l'homme. Le Contrôleur s'effondra à genoux, suant par tous les pores de sa peau.

< Larguez deux Cafards ! ordonna Vysserk Trois. Gardez un contact visuel avec le Veleek. >

Un Taxxon s'adressa à lui dans leur dialecte bizarre :

– Nvriiirr voohyyrr dhuurayyrrr nviirr…

D'un mouvement trop rapide pour qu'aucun œil puisse le suivre, la queue d'Andalite de Vysserk Trois siffla et frappa.

– Skkkrryyyyy ! glapit le Taxxon.

Éventré, il répandit ses entrailles sur le plancher avant de s'effondrer comme une masse.

< Cette créature a prétendu qu'il était difficile de garder un contact visuel avec le Veleek. Quelqu'un d'autre pense-t-il qu'il est difficile d'obéir à mes ordres ? >

Personne ne semblait le penser.

< Otez de ma vue ce misérable incompétent. Larguez les Cafards. Et gardez un contact visuel avec le Veleek. >

Tout cela avait été ordonné avec le plus grand calme. Deux Taxxons se précipitèrent sur la victime et entreprirent de la dévorer avec une remarquable conscience professionnelle. Pendant ce temps, les autres vers géants présents sur la passerelle se replongèrent dans leurs tâches respectives avec un zèle accru. Un zèle tout particulièrement accru.

< J'ai l'impression que ça ne va pas trop fort pour toi, mon bon Vysserk >, ricanai-je.

Il tourna ses yeux principaux dans ma direction, tandis que ses tentacules oculaires balayaient la pièce, prêts à repérer le moindre relâchement de ses créatures.

< Eh oui, tes frères andalites ont trouvé le point faible de mon Veleek, reconnut Vysserk Trois. Ils jouent le jeu. Ils morphosent ici. Ils morphosent là. Ils filent d'un endroit à l'autre. Mais vous oubliez une chose, mes gentils petits amis andalites ! C'est que je vis dans un corps d'Andalite, pourvu de tous ses pouvoirs d'animorphe ! Et je connais aussi votre point faible. Ils ne peuvent pas jouer à ce petit jeu bien longtemps.

D'autant que je suis là pour porter assistance à mon chasseur ! >

Et il tourna tous ses yeux vers moi, me fixant d'un regard mauvais et meurtrier.

< Je préférerais les prendre vivants, j'ai mes raisons pour cela. Mais si ce n'est pas possible, je me contenterai de leurs cadavres. >

CHAPITRE 29
Marco

Crrrraaaooouuuunch ! Scrraaayyynnkrh ! Badam ! Balang ! Blang ! Blaonng ! Crrrroooiiiiinnnnckkk !

Je parvins à me dégager des arbres en faisant rugir le moteur du pick-up, enfin de ce qu'il en restait. Je rebondis au fond d'un fossé avant d'atterrir sur une route en faisant voler une tonne de poussière, de boue et de gravier. C'était une étroite petite route sombre qui courait derrière le lotissement. J'avais décrit un cercle complet.

Je me fiche de tout ce qu'on peut dire ; je conduisais très bien. Ou, du moins, je conduisais de mieux en mieux. En tout cas, je heurtais de moins en moins de choses. Je commençai à morphoser. Mais je ne voulais pas abandonner la camionnette. Après tout, j'étais censé la ramener à la ferme de Cassie quand nous n'en aurions plus besoin.

Aussi, je choisis dans tous les animaux que je possédais la seule animorphe qui soit susceptible de conduire.

— C'est le moment de me déguiser en singe, murmurai-je en dévalant la rue tel un bolide et en pulvérisant au passage une boîte aux lettres imprudemment placée.

Je me concentrai. Je me concentrai autant que je le pouvais. Fort heureusement, c'était une animorphe que j'avais déjà souvent réalisée et qui m'était familière.

Malgré tout, le fait de sentir tout à coup mes épaules doubler… tripler… quadrupler de volume… c'était hallucinant !

Parce que c'est vrai : c'est sûr que je ne suis pas le mec le plus balèze de la planète. Je suis même un peu petit. Dans le genre pas très grand, quoi. Mais quand je prends cette animorphe, je vous jure que je me retrouve avec une puissance phénoménale à peine croyable !

Dans cette animorphe, j'ai attrapé des types énormes et je les ai envoyés voler dans les airs, j'ai réglé leur compte à des Hork-Bajirs qui sont restés raides sur le sol ! Dans cette animorphe, je serais capable d'assommer une équipe entière de football américain d'une seule baffe, ou presque.

Cent quatre-vingts kilos, à peu de choses près. Mais pas cent quatre-vingts kilos de graisse. Non. J'étais en train de devenir cent quatre-vingts kilos de muscles purs et durs, de force brute, du genre dont on n'ose même pas croiser le regard, avec des épaules monstrueuses, un cou large comme une bouche d'incendie, des poings comme des marteaux de forgeron, bref un gorille mâle adulte.

Un animal très doux, très aimable... à moins que vous ne teniez à le mettre en colère. Auquel cas il est capable de déraciner un arbre et de s'en servir pour jouer au baseball. Avec vous dans le rôle de la balle.

Je regardai dans le rétroviseur. Mes yeux étaient devenus de petits yeux de gorille. Ma bouche se gonflait vers l'avant et devenait noire.

Et j'étais mort de peur. Car aussi fort que pouvait être mon gorille, je n'étais rien en face de ce monstre de poussière. Je n'avais pas entrepris de morphoser en gorille pour affronter cette chose. Je morphosais en gorille pour l'attirer.

J'étais l'appât.

J'étais l'appât et la créature était le requin. Et franchement, ça ne me réjouissait pas plus que ça.

J'entendis le rugissement d'une tornade derrière moi.

J'écrasai l'accélérateur de mon pied qui grandissait à vue d'œil.

CHAPITRE 30
Rachel

Je chargeai la trompe haute, barrissant de défi. Je
courus vers la rangée d'arbres qui entourait le lotissement. Je piétinai sans état d'âme jardins et pelouses.
J'étais pressée. Et on peut toujours ressemer une
pelouse.

– Tu t'appelles Rachel. Tu es une Animorphs. C'est un
prince andalite mourant qui a fait de nous ce que nous
sommes. Il nous a donné le pouvoir de nous transformer en tout animal que nous pouvons toucher.

Nous courions. Ou plutôt, je courais avec cette fille à
cheval sur mon dos. Elle m'avait dit que nous devions
nous éloigner des maisons et rejoindre la forêt. La bête
de poussière risquait de tuer de nombreux innocents si
nous ne partions pas.

Ça semblait logique. Le reste de ce qu'elle me racontait, en revanche, semblait parfaitement démentiel.

– Je suis Cassie. Tu es ma meilleure amie, Rachel. Il y a Jake. C'est ton cousin. Il y a Marco. Et Tobias. Tobias a été piégé dans son animorphe. Il est prisonnier dans le corps d'un…

FLASH ! Un endroit terrifiant, enfoui au fond, tout au fond des entrailles de la Terre. Une caverne sombre aussi vaste qu'un palais des sports. Au centre, un bassin. Un bassin rempli de ce qui ressemblait à du plomb fondu. Des passerelles qui s'y jettent. Des cages installées à leur extrémité. Des cris ! Des horribles cris de terreur et de désespoir !

Une bataille faisait rage. J'y étais. J'y étais. J'étais… un éléphant ! Exactement comme à présent. Oui, une bataille contre des monstres. Et un oiseau criait en piquant du haut de la caverne. Il criait en piquant, les ailes plaquées contre son corps, son bec crochu et ses terribles serres prêts à frapper.

< Un faucon >, ai-je dit à Cassie.

– Oui ! Oui ! C'est ça. C'est Tobias.

Je défonçai une clôture pas très solide pour traverser le jardin de quelqu'un. Puis, j'en écrabouillai un autre pour ressortir. En rase campagne ! Nous nous éloignions du lotissement, à présent, et nous galopions vers le couvert des bois.

Je me rappelai ce qui était arrivé dans les bois.

< La vieille femme hurlait à propos des Yirks, expliquai-je. Elle était folle. Elle criait que les Yirks allaient venir la prendre. >

– Les Yirks sont réels, m'affirma Cassie. Écoute, Rachel, tu n'es pas obligée de te souvenir de tout en une fois. Mais nous sommes engagés dans un terrible combat, ici. Et nous avons besoin de ton aide.

< Quelle aide ? > demandai-je d'un air soupçonneux.

– Nous essayons de détourner l'attention du Veleek. Il est attiré par l'énergie du processus d'animorphe, par quiconque est en train de morphoser. Alors nous morphosons à tour de rôle toutes les cinq minutes, environ, en espérant qu'il va finir par s'épuiser.

< Comment savez-vous qu'il va s'épuiser ? >

– On n'en sait rien.

< C'est pas génial, comme plan. Dis-moi, vous autres, les Animorphs, vous êtes toujours dans des situations aussi désespérées ? >

– Assez souvent, reconnut Cassie d'un air penaud. On se bat contre des adversaires vraiment puissants. Parfois, c'est vrai, on se dit que c'est un combat désespéré.

< Un combat désespéré ? ai-je rétorqué. Est-ce que ce ne sont pas les plus beaux ? >

Cassie a rigolé.

– Tu as peut-être perdu la mémoire, mais tu es toujours Rachel ! Bon, il va être temps que je morphose. Laisse-moi descendre.

< Non, décidai-je. La bête n'a pas pu me soulever. J'étais trop grosse. Reste sur mon dos et morphose là où tu es. Il va venir, mais s'il n'arrive pas à me soulever, il ne pourra pas t'attraper ! >

Je la sentis tapoter affectueusement le sommet de mon énorme tête.

– Rachel, ma fille, tu sais qu'il y en a, là-dedans ?

< Tu vas morphoser en quoi ? >

– En quelque chose d'assez petit pour que la bête de poussière n'arrive pas à me séparer de toi. Un écureuil.

< On peut morphoser en petits animaux ? >

– On a parfois besoin d'un plus petit que soi.

Je sentis un étrange grattement, une sorte de petit chatouillement sur mon dos lorsque la fille qui disait être ma meilleure amie se mit à rétrécir.

CHAPITRE 31
Marco

«**A**aaaaaaaaahhhhh !» pensai-je tandis que le Veleek fonçait derrière moi.

– Honkr honkrh haarrh hraarrrh honnnkrhh ! hurlai-je.

J'éprouvai l'étrange envie de frapper ma poitrine avec mes énormes poings. Mais je me concentrai sur le volant.

J'entendais la tornade derrière moi. Je jetai un coup d'œil dans le rétro. Il était rempli de gueules hérissées de crocs !

La vieille camionnette roulait aussi vite qu'elle en était capable.

Soudain, des éclairs d'une éclatante couleur rouge. Tombant du ciel. Des rayons Dracon ! Puis, dans la lueur de mes phares, un éléphant !

Quoi ?

J'écrasai les freins. Trop tard.

Sccrriiiiiiiiiiiiiiiiich… Blang !

Tout sens dessus dessous. Tout tourne. Tout tourne. Douleur. Tiens, tout à coup, je vole !

Des choses me frappent. Des branchages me griffent.

Bam ! Je heurte le sol, durement. Je suis dans un fossé, à moitié rempli d'eau. Le pick-up est renversé, sur le toit, un mètre ou deux plus loin. Ses roues tournent encore. Ses phares sont toujours allumés.

Tsiiiouw ! Tsiiiouw ! Tsiiiouw !

Les rayons Dracon découpèrent le sol à quelques dizaines de centimètres de ma tête. Des Cafards ! J'essayai de bouger. La douleur était insoutenable. Je remuai mes bras. Ils étaient encore en un morceau (chacun). Si j'avais été sous ma forme humaine, j'aurais été tué. Mais il faut quelque chose d'un peu plus sérieux qu'un choc frontal à cent dix kilomètres par heure pour venir à bout d'un gorille.

J'entendis résonner quelque part un lamentable barrissement de douleur.

La bête de poussière était au-dessus de moi, telle une tornade de gueules féroces et de dents tranchantes. Mais elle ne voulait pas de moi. Elle chassait quelqu'un d'autre.

Je sentais que ma conscience faiblissait. Il fallait que je morphose. Que je la laisse me prendre, s'il fallait qu'elle en prenne un.

Que je la laisse me prendre...

CHAPITRE 32

Cassie

Je me sentis rétrécir. Inversement, le dos d'éléphant de Rachel se mit à grandir, à grandir, à s'étendre comme une espèce de vaste couverture grise qui tanguait et oscillait.

Une queue touffue commença à pousser au bout de mon arrière-train. Mon visage s'allongea vers l'avant et prit une forme pointue. Mon corps se couvrit d'une fourrure gris clair.

Bien entendu, j'avais déjà morphosé en écureuil. Je savais à quoi m'attendre. Le corps était merveilleux. Les sens fins et aiguisés. Mais l'esprit du petit animal vivait dans un état de perpétuelle terreur, toujours sous la menace d'éventuels prédateurs. Sa seule autre source d'émotion était la faim.

Mais j'étais capable de contrôler la frayeur de l'écureuil... si du moins j'arrivais à contrôler la mienne. Ce qui était plus facile à dire qu'à faire. J'étais en train d'attirer le monstre vers nous. L'énergie qui me permettait de me transformer en écureuil était un appât destiné à la bête de poussière.

Du coin de l'œil, j'aperçus des phares. Et dans les airs, quelque chose de gros semblait suivre les phares, une ombre ténébreuse qui engloutissait les étoiles.

La bête ! Le Veleek !

Je cessai de morphoser. Je sentais la peur – ma peur – m'envahir. Et si ma propre peur rencontrait celle de l'écureuil, je n'arriverais jamais à en garder le contrôle.

Et soudain… un prédateur !

La terreur de l'écureuil me frappa comme une balle de fusil.

Quelque chose, au-dessus de moi. Comme un oiseau géant ! La cervelle de l'écureuil hurlait : « Fuis ! Fuis ! Fuis ! »

Tsiiiouw ! Tsiiiouw ! Tsiiiouw !

De fulgurants rayons de lumière aveuglante ! Des rayons Dracon. Un Cafard qui arrivait sur nous au ras des arbres.

Je ressentis un brusque mouvement tandis que Rachel accéléra la course de son formidable corps.

< Qu'est-ce qui se passe ? > me cria-t-elle.

Mais mon animorphe n'était pas assez avancée pour que je puisse faire usage de la parole mentale. Et ma bouche n'avait déjà plus grand-chose d'humain. Elle n'aurait rien pu comprendre aux vagues grognements que j'aurais été capable d'émettre.

Tsiiiouw !

La lueur était si violente qu'elle m'avait aveuglée.

– Bhhhrrraaaaaaahhhyyyyhhh ! hurla Rachel.

Je sentis une odeur de chair grillée. Je clignai des paupières, essayant d'éclaircir la vision de mes yeux mi-humains, mi-écureuils.

Je réussis à voir la trace noire d'une longue brûlure laissée dans le flanc de Rachel par un rayon Dracon !

Des phares. Trop près !

Blam !

Je m'envolai, pirouettant dans les airs, créature étrange, à demi-transformée. J'atterris violemment. Mais ma chute fut amortie par d'épais fourrés.

– Bhhhrrraaahyyyrrrhhh !

A travers mes yeux mi-humains, mi-écureuils, je découvris un affreux spectacle.

Rachel était couchée sur le flanc, et elle barrissait de douleur et de rage. Un vieux pick-up était retourné sur le toit, les roues tournant dans le vide. Et juste à côté du pick-up, un gorille mal en point tentait de se relever.

Marco !

Un vaisseau Cafard passa en sifflant au-dessus de nous.

Je cessai de morphoser. Je me figeai sur place. J'étais une créature longue de cinquante centimètres, pourvue d'une queue, de mains humaines et d'une fourrure grise clairsemée.

La bête de poussière s'immobilisa dans les airs. Elle s'étendit au-dessus de nous trois : Rachel, Marco et moi. Je contemplai ce mélange de crocs grinçants, de lames vrombissantes et d'yeux surnaturels.

Elle prendrait quiconque oserait l'attirer en morphosant. Elle me prendrait... si je morphosais. Et si je ne faisais rien... si je me contentais de fermer les yeux, de rester tapie sur le sol sans bouger...

Le rêve ! Le maléfice était arrivé ! Je devais choisir entre moi et quelqu'un d'autre. Exactement comme dans mon rêve.

J'entendis rugir la tornade du Veleek. Il avait trouvé sa proie.

Je fermai les yeux.

CHAPITRE 33
Ax

Je vis tout sur l'image ondulante et miroitante de l'hologramme. L'éléphant lancé au galop. La camionnette qui fonçait, suivie de près par le Veleek.

L'image devint tout à coup beaucoup plus nette. Elle provenait maintenant de l'objectif de visée d'un des Cafards.

Une brève lueur apparut, indiquant que le vaisseau se préparait à tirer une rafale de rayons Dracon. Les fulgurants rayons rouges fusèrent en direction de l'éléphant.

Le pachyderme, terrifié, redoubla de vitesse. La camionnette le percuta et partit faire des tonneaux. L'éléphant se retrouva couché sur le flanc sur le bord de la route. Le pick-up acheva sa course sur le toit. Le Veleek planait au-dessus de la scène de la collision.

Il descendit rapidement et recouvrit un fossé. Il

remonta en emportant quelque chose qu'il avait enveloppé dans ses espèces de tentacules. Puis, il s'éleva à toute vitesse dans le ciel et se retrouva rapidement hors du champ des objectifs du vaisseau Cafard.

< Viens vite, mon joli, se réjouit Vysserk Trois. Rapporte-moi mon deuxième terroriste andalite. >

Et Vysserk tourna ses tentacules oculaires vers moi en m'annonçant :

< Tu vas bientôt avoir un compagnon. >

Je sentis mon cœur se serrer. Qui donc avait été pris ? Rachel ? Cassie ? Marco ?

< Appelez les vaisseaux Cafards, ordonna-t-il. Dites-leur de se poser. Je veux qu'on retienne cette grosse créature. Le Veleek ne pourra pas la transporter tant qu'elle n'aura pas morphosé en quelque chose de plus petit. >

— Vysserk... osa timidement un des humains-Contrôleurs. L'équipage du vaisseau Cafard est composé d'un Taxxon et d'un Hork-Bajir. Puis-je vous suggérer que nous contactions quelques-uns de nos humains-Contrôleurs basés sur Terre ? Leur présence serait peut-être, euh... moins voyante que... que celle des Hork-Bajirs...

< Faites-le ! ordonna Vysserk Trois. Mais prévenez

les équipages de ces Cafards qu'ils doivent contenir cette bête. Qu'ils ne la laissent pas échapper. Sans quoi je veillerai à ce qu'ils constituent le plat de résistance du prochain repas des Taxxons. Maintenant, je regagne mes quartiers. Prévenez-moi dès que le Veleek arrivera avec ma prise. Occultez la cage de l'Andalite. >

Les murs de ma cage devinrent opaques. J'étais à nouveau seul, incapable de voir au-dehors. J'en étais réduit à imaginer le sort de mes amis humains. Je ne m'étais jamais senti aussi misérable. Aussi impuissant.

Tout à coup, je sentis une vive douleur au bras. Qu'est-ce que Marco m'avait dit, déjà ? Que c'était des puces ? Distraitement, j'essayai d'écraser cet insecte.

Attends !

Une puce ? Est-ce que je n'avais pas entendu Jake dire qu'il l'avait fait ? Si. J'en étais sûr, c'était une puce. Il avait morphosé en puce ! Et s'il y était arrivé, je pourrais sûrement…

J'essayai d'attraper la puce. Facile à dire… Elle sauta au loin. Je la retrouvai. Elle m'échappa à nouveau. Au troisième essai, je l'attrapai.

Je la serrai avec précaution entre mes doigts et je me concentrai sur elle.

Oui ! Ça avait l'air de marcher ! Il y avait très peu d'animaux aussi petits dans mon propre monde. Et c'était peut-être la même chose pour les Yirks. Vysserk ne s'attendait peut-être pas à ce que je morphose en une créature aussi minuscule. Auquel cas, j'avais peut-être une chance tout aussi minuscule.

J'avais déjà morphosé en mouche. Et en fourmi. Mais aussi petites que soient ces bêtes, elles n'étaient pas encore assez minuscules. Une fourmi est plus grande qu'une puce. Beaucoup plus grande. Mais une puce est pratiquement invisible.

Il était temps de devenir tout petit. Il était temps de morphoser.

Je commençai à rétrécir à une vitesse ahurissante.

Chaque processus de morphose est unique. Les choses ne se déroulent pas d'une façon logique. Certaines parties de votre corps peuvent changer de forme alors que leur taille est encore bien trop grande. D'autres se mettent à rétrécir, deviennent toutes petites et ne se transforment qu'à la dernière minute.

Ce qui explique pourquoi, alors même que je mesurais encore quelque soixante centimètres de haut, je sentis tout à coup deux longues défenses émerger de ma bouche. Deux longs crocs. Et je sus aussitôt à quel usage ils étaient destinés : c'était grâce à eux que la puce pouvait percer ma peau et boire mon sang. Comment une puce terrienne pouvait-elle apprécier la saveur du sang d'un Andalite ? Cela reste une énigme pour moi. Mais je savais désormais comment le petit monstre s'y prenait. Et je n'avais pas précisément envie de m'attarder sur la question.

Mes bras et mes jambes commencèrent à se diviser. Des articulations se dessinèrent là où elles n'auraient jamais dû se trouver. Des articulations primitives qui grinçaient lorsque je remuais.

Ma queue s'atrophia et mon corps se mit à enfler. J'étais en train de gonfler comme un ballon. En même temps, ma fourrure bleue et brune disparaissait pour laisser la place à un exosquelette, une carapace. J'entendais mes os se dissoudre. J'avais des hoquets écœurants à mesure que mes organes internes disparaissaient les uns après les autres. L'ensemble complexe de mes cœurs d'Andalite se mua en une espèce d'anatomie simpliste. De longs poils hérissés de piquants jaillirent autour de mes pattes articulées. Une sorte de casque cuirassé et hérissé de pointes dirigées vers l'arrière recouvrit ma tête et mon visage.

Et pendant tout ce temps, le sol de ma cage s'était

prodigieusement agrandi. Et prodigieusement rappro-
ché. J'avais l'impression de me retrouver au milieu
d'une plaine infinie, uniformément recouverte d'un
verre noir parfaitement lisse.

Mes tentacules oculaires devinrent aveugles dès
qu'ils se changèrent en antennes épaisses et cour-
taudes. La vision de mes yeux principaux s'affaiblit et
se divisa en un millier de points de lumière grise.

J'étais pratiquement aveugle. Je ne distinguais
plus que des ombres grises. Des points, même pas
des silhouettes.

Je ne pouvais pas entendre dans le sens humain du
terme. Mais mes antennes et les poils qui couvraient
mon corps minuscule parvenaient à capter de subtiles
vibrations.

Je me dressais sur mes six petites pattes, protégé
par une carapace en forme d'armure. Pratiquement
aveugle. Pratiquement sourd. La peur au ventre.

Maintenant, c'était aux Yirks d'agir.

J'attendis et je comptai les minutes. Le cerveau
de la puce était à peine un cerveau. Il ne contenait à
peu près rien. La totalité de ce que la puce « savait »
pouvait se résumer à ceci : sauter vers la chaleur
des êtres vivants. Tant qu'il n'y avait pas de chaleur

ni de vie, le cerveau de la puce n'avait plus grand-chose à faire.

J'attendis. J'espérais. J'avais peur. Et j'écoutais ce que disait Vysserk Trois par la parole mentale.

Il y a deux sortes de parole mentale : ouverte et fermée. La parole mentale ouverte peut-être « entendue » par n'importe qui. La parole mentale fermée ressemble à ce qu'un humain peut chuchoter à l'oreille d'un seul autre humain. Vysserk lançait ses ordres en parole mentale ouverte, afin que tout le monde puisse l'entendre.

C'est ainsi que je sus quand il reviendrait. Et que je l'entendis ordonner :

< Toi et toi. Et vous deux, là ! Suivez-moi sur la passerelle. >

Je m'efforçais de contrôler la peur qui montait en moi à son approche. Je le haïssais. Je savais que je devais vivre et me laisser porter par cette haine et empêcher la peur de me submerger. « Mon heure viendra, me suis-je dit. Je vengerai Elfangor. Je vengerai mon honneur. »

< Où est le Veleek ? Alors, ouvrez le sas, espèces d'abrutis, et laissez-le entrer ! Mais oui, ici, sur la passerelle ! Et éclairez les parois de la cage

de l'Andalite. Je veux assister aux retrouvailles de ces vieux amis ! >

Je perçus de la lumière ce qui, plus précisément, se traduisit par un accroissement du nombre de points gris. Durant à peu près deux secondes, on n'entendit plus du tout Vysserk Trois. Puis, il se mit ensuite à hurler comme un fou furieux :

< Imbéciles ! Où est-il ? Où est-il ? Je vais tous vous tuer s'il s'est évadé ! >

Tout à coup, un courant d'air ! Je le sentis traverser mes poils hérissés et mes antennes. Et puis, je sentis tout à coup un souffle, exhalé par un être vivant. La sensation d'un objet chaud. La sensation d'une créature vivante !

< Non ! N'ouvrez pas cette cage ! > cria Vysserk Trois.

« Vite, pensai-je. Saute ! »

Dans mes pattes postérieures, il y avait comme un ressort biologique. Il se détendit et je m'envolai.

J'ai vu des humains sauter. Ils ne peuvent pas atteindre leur propre hauteur. Même nous, les Andalites, sommes tout juste capables de sauter notre propre hauteur. Mais la puce… eh bien, la puce est capable de faire des bonds qui peuvent atteindre cent fois sa propre taille ! C'est comme si un humain pouvait tout bonnement sauter par-dessus un immeuble de soixante étages...

Je m'envolai donc dans les airs. Et, tout en volant, je fis une galipette de façon à retomber sur mes pattes. Je heurtai quelque chose et m'arrêtai très soudainement.

< Fermez la cage ! > rugit Vysserk Trois.

Je perçus un rapide déplacement d'air juste au-dessus de moi. La chose à laquelle j'étais accroché commença à tomber.

Et tandis qu'elle tombait, je sentis que la vie l'avait quittée.

CHAPITRE 34
Marco

En dépit du fait que nous avions compris que la créature de poussière ne cherchait pas, en fait, à nous dévorer, je me sentis néanmoins quelque peu contrarié lorsqu'elle m'enveloppa dans ses tentacules pour m'emporter.

Nous montions dans les airs. Mais ma préoccupation principale était de respirer, ce qui dans mon cas était loin d'être évident. La bête de poussière tourbillonnait autour de moi, en m'étouffant, en me ligotant, en m'emprisonnant.

Tout à coup, je sentis que nous avions cessé de bouger. Quelques instants plus tard, la bête me relâcha.

Je ne sais plus ce que je m'attendais à voir, mais ce n'était sûrement pas ça. Je me trouvais sur quelque chose qui ressemblait à la passerelle de commandement du vaisseau spatial Enterprise de *Star Strek*, sauf qu'elle était triangulaire. Au lieu de Data, Sulu, Worf ou M. Spock, il y avait un groupe de Taxxons et un cercle de Hork-Bajirs brandissant leurs armes. Je remarquai aussi une sorte de boîte ouverte et vide qui pouvait servir de cage. Et juste devant cette cage, il y avait un Hork-Bajir, mort.

Pour finir – et ça, c'était le plus pittoresque – à la place du capitaine Kirk ou du capitaine Picard, il y avait Vysserk Trois.

Vysserk Trois, avec du sang de Hork-Bajir plein sa queue. Vysserk Trois, l'air pas du tout content. Même si, de toute façon, il n'avait jamais l'air vraiment content.

Vysserk Trois. Le monstre de poussière qui planait au-dessus de nous, emplissant tout le sommet de la pièce comme une nuée d'orage. Des Taxxons penchés sur les écrans de leurs ordinateurs. Un cercle de Hork-Bajirs armés de lance rayons Dracon.

Et moi, un gorille, au beau milieu de tout ça.

Ça aurait pu être rigolo. Si c'était arrivé à quelqu'un d'autre.

< Quitte donc cette animorphe grotesque >, m'ordonna Vysserk Trois.

Je ne répondis pas. Nous nous étions déjà retrouvés devant lui à plusieurs reprises. Et nous n'avions jamais dit un mot, de crainte qu'il ne puisse deviner que nous étions des humains, et non des Andalites.

< Enlevez-moi cette saleté, reprit-il en désignant le cadavre du Hork-Bajir. Et retrouvez-moi cet Andalite ! Allez chercher des bio-scanners. Il n'a pas disparu, il a simplement morphosé en quelque chose de très petit. >

Andalite ? Il devait parler d'Ax. Ce qui voulait dire qu'il était toujours en vie. Et qu'il s'était évadé ! Ce qui expliquait le sort funeste de l'infortuné Hork-Bajir. C'est que Vysserk Trois est un patron plutôt difficile à vivre.

Je sentis une bouffée d'espoir. Ax était en vie !

< Marco ? >

Je bondis.

Pas très loin, parce que les gorilles ne sont pas de grands sauteurs. Disons plutôt que je sursautai de stupéfaction. Ce qui n'empêcha pas tous les Hork-Bajirs de diriger leur arme vers moi.

< Marco ? C'est toi ? C'est Ax. >

< Ax ! C'est moi. Tu es sûr que Vysserk Trois ne peut pas nous entendre ? >

< Il suffit que tu diriges tes paroles mentales directement sur moi >, répondit-il.

< Où es-tu ? >

< J'ai morphosé en puce. >

< Super. Alors tu vas peut-être pouvoir t'échapper. Tu es pratiquement invisible. Moi, je suis dans une animorphe de gorille. Je suis assez visible. >

< J'ai un plan. >

< Ah, super. Nos plans fonctionnent tous si bien... Où es-tu ? >

< A l'endroit le plus sûr que j'ai pu trouver, m'annonça Ax. Je suis sur Vysserk Trois. >

Mes yeux se posèrent sur lui. Ax était caché quelque part dans sa fourrure d'Andalite. Vysserk Trois me lança un regard furieux.

< Je t'ai dit de quitter cette animorphe ridicule. Ne m'oblige pas à recourir à des mesures pénibles. >

< Tu as entendu ça ? > ai-je demandé à Ax.

< Oui, il utilisait la parole mentale ouverte. Ne démorphose pas. Ne dis rien. Dis-moi juste si tu vois une console d'ordinateur à proximité ? Il devrait y avoir un Taxxon qui travaille dessus. >

< Je vois des tas de consoles. Et des tas de Taxxons. Et Vysserk Trois qui me regarde comme s'il était sur le point de me faire rôtir ! >

< N'importe quelle console fera l'affaire. Est-ce que

tu vois un petit coussinet carré sur lequel appuie le Taxxon ? >

< Ouais. Tous les Taxxons ont une main – si on peut appeler ça une main – posée sur un de ces petits carrés. >

< Pourquoi t'obstines-tu à me défier, Andalite ? gronda Vysserk Trois. Que cherches-tu ? Tôt ou tard, il faudra bien que tu démorphoses. >

< Ce sont des interfaces, m'expliqua Ax. Comme vos claviers humains. Lorsqu'on les touche, on peut transmettre directement des ordres à l'ordinateur. C'est comme pour la parole mentale, quoique le principe scientifique de base soit en fait… >

< Ax ? Je n'ai pas précisément besoin d'une conférence scientifique à l'heure qu'il est. Vysserk Trois me dévore des yeux comme si j'étais sa ration de steak haché. Alors, si tu as un plan, fais quelque chose ! >

< Ok. Tout va devenir un peu fou dans quelques minutes. Il faut simplement que tu atteignes une console. Que tu appuies ta main dessus et que tu penses : « Ouvrir les sas. » Tu penses simplement : «Ouvrir les sas. » >

< Et toi, qu'est-ce que tu vas faire ? >

Ax éclata de rire. Il ne rit pas souvent. Ça me surprit.

< Hé ! Hé ! Hé ! Ce charmant Veleek est attiré par l'énergie de l'animorphe. Eh bien je vais lui en donner, de l'énergie d'animorphe... >

Vysserk Trois continuait de me dévisager. Je pouvais presque entendre les idées maléfiques se bousculer dans sa vilaine tête : « Pourquoi ? Pourquoi astu peur de démorphoser ? Pourquoi ne veux-tu pas parler ? L'autre Andalite a parlé. Pourquoi pas toi ? »

Et puis...

Au-dessus de nous, le monstre de poussière a commencé à tourner sur lui-même. De plus en plus vite.

– Vysserk gullhadrash c'est muragg Veleek ! s'est exclamé un Hork-Bajir dans leur dialecte.

Mais Vysserk Trois avait déjà remarqué ce qui se passait. Il aurait été impossible de ne pas le voir. Le Veleek était en train de se muer en une furieuse tornade ! Une tornade pourvue de crocs pointus et de lames tranchantes. Tout ce qui n'était pas fixé ou boulonné voltigeait autour de la passerelle.

Soudain, des cordes de poussière tombèrent du nuage tourbillonnant. Des cordes qui enveloppèrent Vysserk Trois comme une saucisse !

Je crus apercevoir quelque chose sur le dos de Vysserk Trois. C'était un insecte, qui grandissait lentement, et mesurait déjà quelque trente centimètres de long.

Ax !

Les Hork-Bajirs se ruèrent tous en avant, essayant instinctivement de dégager Vysserk de la créature de poussière. Grave erreur. Le premier Hork-Bajir voulut frapper le nuage de poussière avec la tranchante lame cornée qui ornait son bras droit. Moins d'une seconde plus tard, il n'avait plus de bras droit.

– Aaaarrrrrggghhh ! fit-il.

C'était le moment de saisir ma chance. Je me ruai vers la console d'ordinateur la plus proche. Un Hork-Bajir, dont les yeux ne cessaient d'aller de moi au monstre de poussière, se trouvait sur mon chemin. Tête baissée, je le chargeai tel un taureau furieux et je le percutai de plein fouet.

Il tituba avant d'aller s'écraser en travers d'un Taxxon. Les faibles pattes du Taxxon cédèrent sous son poids. Je n'attendis pas qu'ils se relèvent. Un autre Taxxon fit connaissance avec mon gros poing de gorille. Il s'enfuit sans demander son reste.

La voie était libre !

< De l'eau ! hurla Vysserk Trois de l'intérieur du tourbillon de poussière. De l'eau ! >

Il avait soif ? Dans un moment pareil, il avait soif ?

Je pressai ma main sur la console d'ordinateur. « Ouvrir les sas, pensai-je. Ouvrir les sas. Immédiatement. »

A ma plus grande surprise, ça fonctionna.

Je ne pouvais pas voir grand-chose à travers la tempête déclenchée par le monstre de poussière, mais le plafond de la passerelle du vaisseau semblait se fendre par le milieu. Il commença à s'ouvrir.

Est-ce que c'était ça, le plan d'Ax ? Ouvrir la passerelle sur le vide de l'espace ? Nous allions tous être aspirés à l'extérieur et mourir instantanément. Je songeai à inverser l'ordre. Je n'étais pas prêt à mourir.

Mais alors, je remarquai quelque chose : nous n'étions pas aspirés dans l'espace.

Et, je remarquai autre chose : un nuage. Au-dessus de nous. Nous étions dans l'atmosphère !

< Imbéciles ! beugla Vysserk Trois. Ils tentent de s'échapper ! Attrapez-le ! Attrapez-le ! Attrapez-moi ce singe ! >

Singe ? Singe ? Non mais ! J'allais leur montrer si j'étais un singe !

Je me retournai. Six guerriers hork-bajirs avançaient

vers moi, les lames de leurs poignets et de leurs coudes étincelaient dans la lumière.

< Ax ? Euh… J'ai ouvert les sas. Alors je sais pas ce que tu as prévu qu'on fasse maintenant, mais j'aimerais mieux qu'on le fasse rapidement. Tout de suite même ! >

CHAPITRE 35

Ax

Je démorphosai lentement. Je n'avais pas l'intention d'aller jusqu'au bout. Pour que mon plan réussisse, il fallait que je reste une puce.

Pendant que je commençais à démorphoser, je sentais l'air qui tourbillonnait furieusement tout autour de moi. Ça marchait ! Le fait d'engager la transformation avait attiré le Veleek. Il avait senti l'énergie de l'animorphe et il faisait à présent ce pourquoi Vysserk Trois l'avait programmé : il capturait l'animorphe.

Et bien entendu, en me capturant, il capturait aussi Vysserk. Je l'entendis brailler pour qu'on apporte de l'eau. Pourquoi ? Qu'est-ce que ça voulait dire ?

Et puis, j'entendis aussi Marco qui me disait :

< Ax ? Euh… J'ai ouvert les sas. Alors je sais pas ce que tu as prévu qu'on fasse maintenant, mais j'aimerais mieux qu'on le fasse rapidement. Tout de suite même ! >

J'inversai tout le processus de morphose pour revenir à une complète animorphe de puce. Les poils du dos de Vysserk Trois, qui s'étaient réduits à la taille de grands arbres, repoussèrent à nouveau pour dépasser la hauteur des plus immenses gratte-ciel !

Je sentis mon exosquelette de puce se remettre en place. Je n'étais à nouveau guère plus gros qu'une virgule sur cette page.

Il était temps que je bouge. Utilisant l'incroyable force de détente de mes pattes postérieures, je m'éjectai du corps de Vysserk Trois. Je percutai un véritable mur de vent.

Je me retrouvai piégé dans un épais tourbillon de poussière. Les particules qui le composaient étaient à peu près aussi grosses que moi. Elles fusaient de toutes parts à une vitesse invraisemblable.

Vlam !

Une particule m'avait heurté ! Elle s'était plantée sur moi ! Elle s'était empalée sur une des pointes qui protégeaient les articulations de mon armure.

Et ce n'est que là, collé à elle, que je pus l'observer avec mes faibles yeux de puce. Elle était vivante ! C'était une créature de ma taille, avec une centaine d'ailes minuscules qui battaient l'air. Elle avait des antennes, mais complètement différentes de tout ce que j'avais pu observer sur Terre. Ces antennes étaient recouvertes de sortes de petites coupoles renversées. Un peu comme les radiotélescopes humains primitifs. C'était ce que la bête utilisait pour détecter les sources d'énergie.

Elle n'avait pas d'yeux. Ni de bouche. Mais deux longs filaments, comme des fils électriques, partaient de l'avant de la créature et se recourbaient vers l'arrière. C'était ainsi qu'elle devait se nourrir : en canalisant l'énergie le long de ces fils.

Le Veleek n'était pas un seul être vivant. Il en était des milliards ! C'était un essaim rassemblant des milliards de ces minuscules créatures. Elles avaient évolué en constituant cet essaim monstrueux qui se transformait en une entité destructrice. Mais en réalité, ce n'était que des particules comparables à des insectes qui se nourrissaient d'énergie.

Je me servis de mes minces pattes antérieures, et je repoussai le minuscule élément de Veleek. Il battit des ailes et disparut en un éclair.

Et tout à coup… une gigantesque goutte argentée, grosse comme une maison humaine, me frôla ! Elle percuta plusieurs créatures de poussière et les envoya voltiger au loin, assommées. Puis, il y en eut d'autres. Et d'autres, encore. De plus en plus !

Une immense gouttelette tournoyante me frappa. Elle s'enroula autour de moi. J'étais piégé. J'étais piégé, et je tombais. Je tombais !

Une étrange substance me pressait de toute part. Elle m'enserrait, elle m'étouffait.

L'eau !

Les Yirks avaient mis en marche un jet d'eau ! C'est ça que Vysserk Trois avait demandé : de l'eau !

La goutte d'eau qui m'entourait s'écrasa sur le sol. Je ne pouvais pas m'en aller. Elle restait accrochée à moi. C'était comme de la colle pour mon corps de puce.

Et puis... je me dégageai ! Je me retrouvai sur un sol sec. Mais des gouttelettes d'eau chargées de petits monstres de poussière impuissants s'abattaient tout autour de moi telle une pluie de météorites.

< Marco ! Tape des pieds ! Il faut que je te trouve ! >

< J'suis un peu occupé, cria-t-il. Y a des Hork-Bajirs qui me cherchent des crosses ! Et quelqu'un a mis en marche les extincteurs. >

< Tape des pieds ! >

Je sentis une nouvelle vibration se propager dans le

sol. Je savais d'où elle venait. Je bondis. Je pirouettai dans les airs. J'atterris dans une forêt de poils gigantesques, chacun aussi épais que le plus gros des arbres.

< Où es-tu ? > s'écria Marco.

< Sur toi ! répondis-je. Il faut qu'on sorte d'ici ! >

< Comment ? >

< Saute par le sas ! >

< Eh ! Mais j'suis un gorille, pas un... attends ! J'ai une idée ! >

Je sentis une brutale vibration, comme un tremblement de terre, parcourir le corps du gorille. Puis, un mouvement. Puis un énorme courant d'air, un vent soufflant avec une force, une vitesse incroyable.

< Où sommes-nous, maintenant ? >

< Alors, la bonne nouvelle, c'est que nous sommes sortis du vaisseau. Je me suis servi d'une paire de Hork-Bajirs en guise d'échelle et je les ai escaladés ! Voilà la bonne nouvelle. >

< Tu sembles laisser entendre qu'il pourrait y avoir également une mauvaise nouvelle >, suggérai-je.

< Ah, ouais. La mauvaise nouvelle, c'est qu'on est à environ trois mille cinq cents mètres dans les airs et qu'on tombe vers la Terre sans parachute... >

CHAPITRE 36
Rachel

La camionnette heurta ma patte postérieure droite. Un des os principaux fut certainement brisé, car la douleur était insoutenable. Le choc m'expédia à quelques mètres de distance. Je basculai sur le côté et ma tête heurta le bitume.

C'est peut-être ça qui provoqua le déclic. J'étais couchée sur le flanc, respirant avec difficulté. J'avais les yeux fermés.

FLASH ! Un chantier de construction, tard dans la nuit. La lueur dans le ciel avait disparu. A présent, elle était en face de moi, elle reposait sur le sol. Un vaisseau spatial ! Il avait atterri. J'entendais une voix dans ma tête. Elle venait de nulle part. Non, elle venait de lui ! L'extraterrestre ! Je le voyais, il était couché comme s'il était blessé. Les Yirks. « Les Yirks, il avait dit. Ils sont venus pour vous anéantir. »

FLASH ! Une grange remplie d'animaux en cage. Des oiseaux. Des renards. Des écureuils. Des ratons laveurs. Des chauves-souris. Et Cassie était là.

Oui, Cassie. Mon amie.

Et les autres. Maintenant, je les voyais. Ils étaient avec moi au chantier de construction. Et depuis cette nuit, nous étions restés unis.

Les Animorphs. C'était notre nom. C'était Marco qui l'avait trouvé.

FLASH ! Je volais. Je volais avec des ailes qui semblaient s'étendre à l'infini. Je m'élevais sans effort, portée par les courants thermiques. Un aigle, j'étais un aigle. Un aigle à tête blanche.

Et puis… oui ! Ils m'avaient entourée. Une bande de petits oiseaux noirs. Ils m'avaient attaquée comme un essaim de guêpes, j'avais percuté l'arbre et…

< Rachel ! Il a pris Marco ! >

J'ouvris mes yeux d'éléphant. Je vis un écureuil qui sautillait nerveusement sur place, agitait la queue et remuait la bouche presque comme pour parler.

< Cassie >, fis-je.

< Il a pris Marco, répéta-t-elle. Le monstre a pris Marco et je n'ai rien fait. >

< Marco. Je me souviens de lui. >

< C'est vrai ? Ta mémoire commence à revenir ? >

< Oui. En grande partie. Mais c'est encore assez flou. >

Deux vaisseaux Cafards piquèrent au-dessus de nous. Des vaisseaux Cafards. Des mots qui étaient profondément gravés dans mon esprit ! Je savais ce que c'était. Des vaisseaux Cafards. Équipage : un Hork-Bajir, un Taxxon. Je pouvais aisément me représenter des images mentales d'un Hork-Bajir. Pour le Taxxon, c'était encore assez vague. Mais ils étaient tous les deux des Yirks. C'était ça la chose importante. Ils avaient chacun un Yirk dans la tête.

< Je ne peux pas me relever, prévins-je Cassie. J'ai une patte cassée. Je vais démorphoser et reprendre mon corps humain. >

< Moi aussi. C'est fini, maintenant. Le Veleek est parti. Tu sais, Rachel, j'aurais dû démorphoser pendant que la bête de poussière était là. J'aurais pu la détourner de Marco. Et puis j'ai eu peur. >

< Bien sûr que tu as eu peur. Moi aussi>, ai-je répliqué.

Je me sentis rétrécir. Je sentais mes pattes d'éléphant, grosses comme des poteaux de téléphone, redevenir des jambes humaines. Mes défenses étaient aspirées par ma bouche et se transformaient en banales incisives. Ma trompe perdait toute sa force, tous ses muscles et se rétractaient pour former mon nez et ma bouche.

– Pourquoi la bête de poussière ne nous a-t-elle pas attaquées ? m'interrogeai-je à haute voix dès que ma bouche fut en état d'émettre des sons intelligibles.

– C'est trop tard, elle a emporté Marco. Elle l'a peut-être tué, gémit Cassie. J'aurais dû...

– Écoute Cassie ! l'interrompis-je brutalement. Ça ne sert à rien de ressasser, d'accord ? C'est le passé. Maintenant, il faut qu'on s'occupe du présent.

Je désignai les deux Cafards qui avaient décrit une boucle au-dessus de nous et qui revenaient à vitesse réduite.

– Cassie, je ne me souviens pas, lui demandai-je. Est-ce qu'on peut à nouveau morphoser tout de suite après ?

– Oui, oui, on peut. C'est épuisant, mais on n'a pas le choix. On ne peut pas se permettre de se laisser prendre sous forme humaine. Ils n'auraient aucun mal à découvrir notre identité !

– Cassie, il nous faut des animorphes capables de

se déplacer rapidement et je ne me souviens pas trop de ce qu'on a de disponible.

Elle réfléchit un bref instant.

– C'est la nuit. La forêt. On va prendre la voie des airs. On a acquis toutes les deux des animorphes de hibou. On s'en était servi pour garder Jake quand il avait été pris par le Yirk. Des hiboux grands-ducs.

Je fermai les yeux de toutes mes forces. Un hibou ? J'avais morphosé en hibou ? Oui, oui, je me rappelais. Je le sentais.

Les Cafards se mirent en position stationnaire, planant à une centaine de mètres de part et d'autre de nous. Au loin, j'entendis des sirènes hurler dans la nuit. Des voitures de police qui approchaient. Sans doute des Contrôleurs, pas des vrais flics.

Je dirigeai toutes mes pensées sur la transformation. Je fermai mes paupières de toutes mes forces et je me concentrai. Lorsque j'ouvris les yeux à nouveau, il faisait grand jour.

Non. Il ne faisait pas jour. Je voyais le monde à travers les yeux d'un hibou. Mais il aurait pu tout aussi bien être midi : j'étais capable de tout voir ! Je pouvais distinguer les plus petits détails des vaisseaux Cafards. Mon regard plongeait dans les plus sombres recoins de la forêt obscure. Je voyais les lumières bleues des voitures de police comme si je me trouvais juste en face d'elles.

< Prête ? > demanda Cassie.

< Oui, je crois bien. >

< Tu me suis ! >

Elle battit des ailes. Je l'imitai. Nous nous envolâmes, à trente centimètres du sol.

Soudain, une grande créature sauta d'un des Cafards en vol stationnaire. Il se laissa tomber de plus de quinze mètres de haut, toucha le sol, roula sur lui-même et se releva sans difficulté ! Mes yeux de hibou le virent se découper dans la lueur d'un projecteur.

< Un Hork-Bajir ! hurlai-je. Droit devant ! >

Dans la seconde qui suivit, un autre Hork-Bajir sauta. A une vitesse stupéfiante, ils se retrouvèrent sur leurs pattes et se ruèrent vers nous. Les lames qui hérissaient leurs bras scintillaient dans le clair de lune.

Nous volions droit dans leur direction. Trop bas ! Trop bas, et trop tard pour pouvoir remonter assez haut. Si nous tentions de virer, nous perdrions de l'altitude. Ils nous auraient avant qu'on puisse se dégager.

< On leur rentre dedans ! > décidai-je.

< Rachel, tu es incorrigible, fit gravement Cassie. Alors, vise les yeux ! >

Je battis des ailes de toutes mes forces. Je pointai mes serres en avant. Les deux Hork-Bajirs arrivaient droit sur nous. Nous foncions droit sur eux. Je sus dès lors que mon destin ne m'appartenait plus. S'ils avaient l'ordre de nous tuer, nous allions mourir. Je pouvais mesurer la distance qui nous séparait d'eux, je connaissais ma propre vitesse, et j'étais capable d'évaluer celle, surhumaine, des Hork-Bajirs, sans parler de la vitesse foudroyante à laquelle pouvaient frapper leurs bras hérissés de lames tranchantes.

GRRROOOAAAWWWRRR ! Quelque chose de très gros bondit dans les airs. Je crus voir un éclair orange et noir. Mon Hork-Bajir s'écroula sur le sol et mordit la poussière sous le poids d'un énorme tigre qui venait de s'abattre sur son dos. Le Hork-Bajir qui faisait face à Cassie, tourna la tête pendant une fraction de seconde pour voir ce qu'il se passait. Cassie en profita pour passer au ras de sa tête et lui échapper.

Le tigre laissa le Hork-Bajir raide mort et bondit en arrière.

Je battis des ailes de toutes mes forces.

< Filons d'ici ! > cria Jake.

< Ah ça oui ! > approuvai-je.

< Et Marco ? demanda-t-il. Vous avez vu Marco ? >

CHAPITRE 37
Marco

< Aaaaaaaaaaaaahhhhhhh ! >

Je ne crois pas que, dans toute l'histoire de la planète Terre, un seul gorille soit jamais tombé de trois mille cinq cents mètres de hauteur dans la nuit. Et sans parachute. C'était donc une première pour nous deux.

Je tournoyais follement, tombant, tombant, tombant dans l'air glacé de la nuit. Loin au-dessous de moi... très loin au-dessous de moi... je voyais les lumières des rues. Et les néons des boutiques. Et tout à côté de moi, presque tout autour de moi, des nuages.

J'étais un gorille de cent quatre-vingts kilos qui avait tout simplement décidé de se payer une petite séance de chute libre sans parachute.

< Aaaaaaaaaaaaahhhhhhh ! >

< Marco, pourquoi tu cries comme ça ? Ça me fait mal à la tête. >

< On va mourir, espèce d'extraterrestre cinglé ! >

< Mais non, on ne va pas mourir. Ne sois pas idiot >, répliqua-t-il.

< Toi, peut-être pas. T'es une puce ! Tu vas rebondir. Mais moi je vais m'écraser comme une pierre ! >

< Marco, morphose en oiseau. >

< Quel c… ! m'exclamai-je en me sentant un peu stupide. Est-ce que j'ai le temps ? >

< Je ne sais pas. Nous devrions peut-être nous dépêcher >, estima Ax avec son calme exaspérant d'Andalite.

Maintenant, le problème auquel nous étions confrontés était des plus simples : on peut morphoser d'un animal dans un autre. Mais il faut d'abord reprendre sa forme originelle. Je devais donc redevenir humain, après quoi, je pourrais morphoser en oiseau.

Une minute plus tard, nous n'étions plus un gorille et une puce tombant dans le vide. Nous étions à présent un humain et un Andalite tombant dans le vide.

Et maintenant, le sol n'était plus très loin au-dessous de nous. Maintenant, il était très près !

– Aaaaaaaahhhhhh ! hurlai-je.

< Aaaaaaaahhhhhh ! > hurla Ax en parole mentale.

Je fus soulagé de l'entendre enfin hurler lui aussi. Mais j'étais surtout préoccupé par le fait que je pouvais distinguer les maisons individuelles entourées de minuscules lumières. J'apercevais les phares et les feux rouges de chaque voiture. Et je pouvais voir le parking du centre commercial, pratiquement vide à l'exception d'une équipe d'ouvriers qui repeignaient de nouvelles bandes blanches sur le bitume.

– Aaaaaaaahhhhhh !

Je me concentrai de toutes mes forces. Il y a longtemps, j'avais morphosé en aigle pêcheur. Son plumage est en général d'un brun grisâtre sur le dos et blanc moucheté sur le ventre, tandis que le bec est sombre.

C'est un oiseau vraiment cool. Mais vous savez quoi ? A ce moment précis, je n'avais franchement rien à faire du type d'oiseau que j'allais devenir, pourvu qu'il ait des ailes.

– Poussez, les ailes, poussez, je vous dis ! criai-je, tandis que le vent de la chute m'arrachait littéralement les mots de la bouche.

Des plumes commencèrent à se dessiner sur ma

peau. Je me sentis rétrécir. Je sentis mes os s'alléger, devenir creux. J'entendis ma boîte crânienne grincer et craquer tandis qu'elle diminuait pour accueillir un cerveau beaucoup plus petit.

Trop lentement. Bien trop lentement.

Maintenant, je pouvais distinguer les gens. Ceux qui travaillaient sur le parking du centre commercial. Je les voyais parfaitement ! Et je continuais à tomber.

Jamais je ne pourrais morphoser à temps !

Jamais ! Le sol !

Il allait m'écraser ! Il bondissait à ma rencontre pour me heurter de plein fouet ! Je vis un des ouvriers du parking lever la tête et me regarder.

Je pouvais voir ses yeux !

J'écartai largement les bras.

Non ! Pas les bras ! Les ailes ! Les aiiillles !

Swoooouuuushhh ! Le vent les repoussa violemment en arrière, tirant sur chacun de mes muscles, et j'arrivai à me redresser à près de cent cinquante à l'heure et à quelques dizaines de centimètres du bitume fraîchement repeint.

< Yahouuuu ! > criai-je de joie.

Je jetai un coup d'œil sur la gauche. Ax volait à mon côté, dans son animorphe de busard.

< C'était excitant >, commenta-t-il.

< Ah ça, oui. Pourvu que jamais, mais alors jamais, on ne recommence ça ! >

< Alors jamais ! > acquiesça Ax.

CHAPITRE 38

Jake

Nous avons passé une mauvaise nuit, Cassie, Rachel et moi. Rachel a dormi chez Cassie, sinon elle aurait dû expliquer à sa mère pourquoi elle n'était pas à son camp de gym.

Rachel était encore un peu secouée, mais sa mémoire était presque complètement revenue. J'ai pensé que, pour elle, le mieux serait de passer quelque temps auprès de sa meilleure copine.

Quant à moi, il était près de minuit quand je parvins à rejoindre péniblement la maison. Une chose était claire : j'étais anéanti. Je ne cherchai même pas à discuter quand on m'a appris que j'étais privé de télé, de Sega, que je devais désormais être rentré à la maison à cinq heures du soir, que j'étais de corvée de vaisselle et de poubelles pour deux semaines. Et puis, qu'il fallait, tant qu'on y était, que je nettoie le garage.

Pas un mot, sauf : « Oui, papa », « Oui maman », et « J'suis vraiment désolé de vous avoir causé du souci.»

Puis, je regagnai ma chambre et j'essayai de ne pas penser à ce que Vysserk Trois devait être en train de faire à Ax et à Marco. Je ne m'étais jamais senti aussi mal et aussi fatigué. Je m'endormis sans m'être déshabillé, la tête enfouie dans l'oreiller sur mon lit encore défait.

Ils nous avaient battus. C'est ce qui me trottait dans la tête quand je m'endormis. Nous étions finis. Le monstre de poussière allait revenir. Nous avions survécu, pour la plupart. Mais désormais, nous ne pourrions plus jamais morphoser sans risque. Pour nous tous, les Animorphs, l'aventure s'arrêtait là. La bataille était terminée. Plus rien ne pourrait empêcher les Yirks de prendre entièrement le contrôle de la Terre.

Et vous voulez que je vous dise ? Cette pensée ne fit que me soulager. J'étais trop fatigué pour me battre... trop fatigué.

Les premières paroles que j'entendis ensuite ressemblaient à :

– Bouuuga, bouuuga, bouuuga, bouuuga !

– Whaaaah !

Je m'assis comme si j'étais propulsé par un

ressort, m'emmêlai dans les draps et tombai du lit lourdement.

Marco rigolait si fort qu'il en pleurait.

— Comment t'es arrivé là ? lui demandai-je, avant d'ajouter : Tu es vivant ?

— Non ! Je suis le fantôme de Marco. Crains-moi !

— Quelle heure est-il ?

— Dix heures du mat, à peu près, répondit Marco, avant d'aller à la fenêtre et d'ouvrir les volets.

Je cachai mes yeux pour me protéger de l'éclat du soleil.

— Cassie a dit que le Veleek t'avait emporté.

— Oui. C'est ce qu'il a fait. Et maintenant, on va se marier. Bon, écoute, va falloir que tu te mettes un peu au courant. Réveille-toi, chef intrépide. On est tous vivants, et on attend que tu débarques pour diriger la contre-attaque.

— La contre-attaque ? fis-je, les yeux braqués sur la porte.

— T'inquiète pas, me rassura Marco. Tom est sorti. J'ai vérifié.

— Mais moi je peux pas sortir, protestai-je. Je suis rentré si tard que je suis interdit de tout.

— Mmmhhh... ouais. J'ai causé à ton père en

arrivant. Il m'a parlé de ce détail. Il a dit que si tu nettoyais le garage tu aurais peut-être une remise de
peine. Ça avait l'air très important pour lui. Genre, que
si tu nettoyais le garage, il serait le plus heureux des
types sur terre.

— C'est sûr. Ça fait un mois que ma mère lui répète
qu'il faut qu'il le nettoie. Et voilà qu'il peut me refiler la
corvée. Il y a vraiment de quoi être heureux ! Tu vas me
donner un coup de main ?

— Moi ? T'aider à nettoyer le garage ? Et quoi
encore ?

Je souris.

— Je suis content que tu ne sois pas mort, Marco.

— Moi aussi.

— Rassemble tout le monde. Laisse-moi trois heures
pour m'occuper du garage. On se retrouvera à la
lisière des bois. Et que personne ne morphose. T'as
compris ? Personne ne morphose.

CHAPITRE 39
Cassie

< **A**lors là, les gars, j'arrive pas à croire que vous
ayez fait tout ça pendant que je dormais ! enrageait
Tobias. Jouer à chat avec une espèce de monstre de
poussière débarqué de Saturne ! Rachel devenue amnésique et Marco qui lui rentre dedans avec une camionnette ! Vous vous évadez du vaisseau Amiral de Vysserk
Trois ! Et moi, pendant tout ce temps, je me contente de
dormir ? C'est trop dur ! J'ai raté le meilleur ! >

— Tu es le seul qui ne peut pas morphoser, intervint
Jake, innocemment. Donc, le Veleek ne s'intéresse pas
à toi. Gros veinard.

— C'est l'acte de morphoser qui attire le Veleek,
expliqua Marco en souriant de son air sarcastique. Il…
ou plutôt ils, au pluriel, devrais-je dire, se nourrissent
d'énergie. Des petites pattes de faucon comme les
tiennes, ça ne l'intéresse pas du tout !

< Viens ici, Marco, ordonna Tobias. Viens sous ma branche.>

Tout le monde rigola. Sauf moi. Je n'avais pas beaucoup dormi. Cette fois, ce n'était pas un rêve. C'était un souvenir. Le rêve était devenu réel. Et mon sommeil était brisé par une image de moi-même, tremblant de peur alors que le Veleek planait au-dessus de nous et plongeait finalement sur Marco.

Je n'aimais pas ce souvenir. Je me fiche d'être effrayée. Nous avons tous peur. Mais je n'aimais pas savoir que je m'en étais sortie en sacrifiant Marco. Il n'y avait qu'un mot pour qualifier une personne capable de ça : lâche. Je n'aimais pas ce mot. Il tournait sans cesse dans ma tête.

– Bon, alors voilà ce qu'on sait, reprit Jake. Un : le Veleek est comparable à un essaim d'insectes. Les particules qui le composent se séparent jusqu'à ce qu'elles perçoivent un type d'énergie dont elles peuvent se nourrir, et alors elles se rassemblent en essaim. L'essaim prend la forme de cette bête qui est capable de réduire en charpie absolument n'importe quoi. Deux : Vysserk Trois a réussi à modifier les instincts de cette créature afin de l'utiliser pour ses propres projets.

< Oui, approuva Ax. C'est extrêmement simple, en fait. Les Yirks ont reprogrammé la bête afin qu'elle chasse l'énergie animorphique, mais aussi afin qu'elle mange une autre sorte d'énergie : celle des moteurs de leurs vaisseaux spatiaux. >

Rachel hocha la tête.

— Comme un chien de chasse bien entraîné. Un chien de chasse poursuit les renards, ou n'importe quel autre gibier, mais uniquement parce que son maître va le récompenser en lui donnant une nourriture tout à fait différente. Le Veleek chasse l'énergie de l'animorphe pour son maître, puis il est récompensé par l'énergie des vaisseaux yirks.

— Exactement, confirma Jake. Le Veleek est le chien de chasse de Vysserk Trois. Et le problème, c'est qu'il est monstrueux. Peut-être invincible.

— Non, répliquai-je avec calme. Pas invincible. Il n'a pas pu soulever Rachel quand elle était dans son animorphe d'éléphant. Elle était trop lourde. Il a des limites. D'autre part, à bord du vaisseau Amiral, les Yirks ont utilisé de l'eau pour contrôler le Veleek.

Tous les regards étaient tournés vers moi, à présent.

— Bon, fit Jake. Mais qu'est-ce qu'on fait, avec cette information ?

– Je… j'ai un plan, avouai-je, et je pris une grande inspiration. Mais avant de vous dire quoi que ce soit, j'ai une exigence : je veux que ce soit moi qui le fasse.

Je leur expliquai mon plan.

– Cassie, c'est plus du danger, c'est de l'inconscience ! s'écria Jake quand j'eus fini. Et pourquoi est-ce que c'est toi qui devrais le faire ?

– Parce que.

Je me tournai vers Marco et je le regardai droit dans les yeux.

– J'ai laissé le Veleek prendre Marco. J'aurais pu morphoser. J'aurais pu l'attirer vers moi. Je l'ai laissé prendre Marco.

Marco m'adressa un sourire ironique et désabusé.

– Allez, Cassie, c'est pas grave. Je suis là, sain et sauf, et d'une beauté aussi confondante que jamais.

– Ce n'est pas la question. J'ai été lâche.

Rachel leva les yeux au ciel.

– Bon sang, Cassie ! Tu as été de toutes les bagarres qu'on a livrées ! Tu es la dernière personne au monde qu'on pourrait traiter de lâche !

– Pour toi, c'est facile à dire, Xena, la princesse guerrière.

– Quoi ?

— Tu ne te souviens pas ? C'est comme ça que Marco t'appelle.

Rachel fit la grimace.

— Je suppose qu'il doit rester un ou deux trous dans ma mémoire, dit-elle avant de jeter un regard soupçonneux sur Marco. Dis, d'habitude, je suis contente quand tu dis ça ou est-ce que je suis censée te mettre mon pied où je pense ?

— Laisse tomber, Rachel. Tu ne réussiras pas à me faire changer d'avis, lui ai-je dit tout net. C'est mon plan. C'est moi qui irai.

— Cassie… fit Jake en me suppliant des yeux.

Je pris sa main dans la mienne et je la serrai.

— Tu sais que c'est un bon plan, Jake. Et tu sais que c'est moi qui dois l'exécuter. C'est une nouvelle animorphe, on ne peut pas faire d'essai préliminaire et c'est moi qui morphose le mieux.

Personne n'ajouta quoi que ce soit. Je pouvais lire l'inquiétude dans les yeux de Jake. Rachel me mit la main sur l'épaule.

— Bon, soupira Jake. Allons à la plage.

C H A P I T R E   4 0

Tobias

Je captai un sompteux courant thermique qui remontait des falaises bordant l'océan. La perfection même ! Je me contentai d'ouvrir les ailes et je sentis le courant chaud me soulever sans effort. C'était comme si j'avais été propulsé par un lance-pierre. Je montais, de plus en plus haut, en décrivant des cercles loin au-dessus de l'océan. J'avais besoin de toute l'altitude que je pourrais prendre.

Je n'arrivais pas à croire que Cassie se considérait comme le maillon faible de notre groupe. C'était pourtant moi qui avais dormi pendant la moitié du temps ! C'était gênant. Et frustrant.

La seule bonne chose, c'était qu'en fin de compte j'avais un rôle à jouer dans le plan de Cassie.

Normalement, le faucon à queue rousse n'est pas un oiseau de mer. Nous ne volons pas bien au-dessus

de l'eau, parce qu'on ne peut pas y trouver de courants thermiques. Mais je volais très, très haut et, avec un peu de chance, j'arriverais à rester en l'air assez longtemps pour trouver ce que je cherchais.

Je mis le cap vers le large. Et dès que j'arrivai au-dessus des eaux gris-bleu, je sentis le courant thermique faiblir. Mais je jouai avec le vent contraire pour compenser, si bien que je parvins à conserver l'essentiel de mon altitude.

Durant tout ce temps, je ne cessai de scruter l'océan au-dessous de moi. Je dispose d'une vue prodigieuse, mais elle n'est pas conçue pour permettre de voir à travers l'eau, comme c'est le cas pour l'aigle à tête blanche ou l'aigle pêcheur. Néanmoins, si ce que je cherchais se trouvait là-dessous, je le verrais sans difficulté.

Je commençais à sentir la fatigue lorsque je la repérai. En fait, elle était derrière moi, plus près du rivage que je ne l'étais. C'était une chance.

J'obliquai un peu vers le sud et je virai sur l'aile pour me rapprocher du rivage, bien que la plage fût encore à plus de trois kilomètres.

Et alors, je me retrouvai juste à sa verticale. Je la voyais labourer majestueusement les vagues. Elle jaillit à la surface, vida ses poumons d'un puissant jet avant de plonger à nouveau. Elle réapparut une centaine de mètres plus au sud. Toujours au sud.

Je virai sur ma gauche pour regagner le rivage. J'étais fatigué et content de revoir la terre. Mais il était hors de question que je me repose. La véritable épreuve était à venir.

Mes yeux de faucon balayèrent la plage qui défilait sous mes ailes. Il n'y avait pas foule, mais il me fallut pourtant quelques minutes pour les trouver. Je basculai et piquai droit vers le sol pour retrouver mes amis.

< J'en ai une pour toi, Cassie ! annonçai-je. J'ai trouvé une baleine. >

CHAPITRE 41

Cassie

— Je dis simplement qu'il y a des gens qui devraient avoir le droit d'être couchés sur la plage, et qu'il y a des gens qui ne devraient pas avoir ce droit, ronchonna Marco. Vous avez déjà vu des vieux croûtons obèses et velus dans *Alerte à Malibu*, vous ? Non ! Dans *Alerte à Malibu*, ils ont une loi contre ça. David Hasselhoff chasse de la plage quiconque n'a pas le bon look. Ici, on devrait appliquer la loi d'Hasselhoff. C'est tout ce que je veux dire.

— Alors, ça ne t'embêterait pas de ne plus jamais venir à la plage, Marco ? lui lança Rachel sans beaucoup de conviction.

Visiblement, elle n'avait pas vraiment envie d'entamer un duel verbal avec Marco.

Nous marchions le long de la plage, en faisant comme si tout était normal. Comme si nous n'étions pas inquiets. Comme si tout allait pour le mieux. Rachel était toujours aussi silencieuse. Je pense que sa crise d'amnésie l'avait fortement secouée. Rachel est quelqu'un qui sait toujours se maîtriser. Face au danger, elle est très courageuse. Mais là, elle était confrontée à une situation toute nouvelle pour elle : un danger venu de l'intérieur.

Marco s'efforçait de raconter des blagues et de détendre tout le monde, mais il en faisait trop. D'une façon ou d'une autre, il se disait que c'était sa faute si je me sentais mal. Il voulait me faire comprendre qu'il ne m'en voulait pas, qu'il ne me reprochait rien. Mais ça, il l'avait déjà fait et je l'en avais remercié. Pourtant, je me sentais toujours aussi mal. Marco ne savait plus ce qu'il devait faire. Alors il s'efforçait de faire rigoler tout le monde.

Jake n'était plus qu'une machine sous haute tension. Il le cachait parfaitement, mais je le connaissais trop bien. Je sais quand il est bouleversé. Ça se voit à sa façon de serrer les lèvres un petit peu trop fort. Et à un certain air, un peu las, dans le regard.

Et puis... Tobias est revenu.

< J'en ai une pour toi, Cassie ! a-t-il annoncé. J'ai trouvé une baleine. >

Je le saluai d'un grand geste du bras. Il nous expliqua où était la baleine.

Jake s'arrêta de marcher.

– Tu n'es pas obligée de faire ça, Cassie. La violence de l'impact... si tu arrives trop vite... et puis, peut-être que le Veleek n'est plus dans le coin...

Je ne pouvais pas le regarder dans les yeux. Il m'offrait une issue de secours. Je ne voulais pas me laisser tenter.

– Je vais y aller, annonçai-je d'une voix aussi calme que possible.

– Je pourrais le faire, Cassie, protesta Rachel.

– Morphoser six fois de suite, adopter trois animorphes, dont une est entièrement nouvelle, et tout ça en si peu de temps ? lui demandai-je. Vous dites tous que c'est moi qui morphose le plus rapidement. Que c'est moi qui arrive à contrôler une nouvelle animorphe le plus vite. Je suis toute désignée pour ce plan.

A ma grande surprise, Jake hocha la tête.

– Cassie a raison. Cette mission est pour elle.

Puis il me prit la main.

– Mais on sera là pour t'aider.

Nous sommes entrés les quatre dans l'eau. Ax n'avait pas pu venir, cette fois-ci. Il aurait fallu qu'il démorphose pour reprendre sa forme naturelle, et ça n'aurait sans doute pas été des plus discrets sur la plage. Nous avions choisi un endroit éloigné du poste des secouristes. Nous n'aurions pas voulu que quelqu'un s'imagine que nous avions besoin d'être secourus.

J'avançai dans les vagues. L'eau froide bouillonnait autour de mes chevilles, puis de mes jambes, de ma taille. Je plongeai en avant et m'éloignai du rivage en nageant vigoureusement. Les autres étaient juste à mes côtés. Tobias avait volé jusqu'au sommet de la falaise pour se reposer un court instant.

Je nageai vers le large et, tout en nageant, je me concentrai sur la première animorphe. Certaines animorphes sont terrifiantes. D'autres sont répugnantes. D'autres encore vous submergent sous leurs instincts animaux de peur et de faim. Et il y a aussi des animorphes si puissantes que vous vous sentez invincible.

Et quelques animorphes... pas beaucoup, mais quelques-unes, sont tout simplement merveilleuses.

Tout en nageant, je sentis mon visage s'allonger et s'arrondir vers l'avant. Je sentis mes jambes se fondre l'une dans l'autre. Je sentis ma peau devenir épaisse et caoutchouteuse. Je sentis même mes poumons s'immobiliser pendant un instant, puis se gonfler à nouveau d'air par un orifice placé derrière ma tête.

De très loin, j'entendis la parole mentale de Tobias, faible mais compréhensible.

< Il arrive ! Le Veleek ! Il arrive ! >

J'étais une créature pourvue de pieds, mais sans jambes, de mains plates et grises, mais sans bras. J'avais des yeux humains que l'eau salée continuait de brûler, mais je respirais à travers un évent placé derrière mon cou. J'étais à moitié humaine, à moitié dauphin.

Je roulai sur mon flanc pour observer le ciel. Et il était là : le chien de chasse de Vysserk Trois. Le Veleek. Le monstre de poussière. Une masse de particules avides d'énergie qui tournoyait comme une petite tornade.

Je plongeai sous les vagues. Et lorsque je refis surface, il était toujours là. Mais il ne s'était pas approché.

< Il n'aime pas l'eau >, observa Marco.

< J'en ai bien l'impression >, acquiesçai-je.

< Tu avais raison, Cassie >, ajouta Rachel.

< Espérons-le. >

Je sentis s'opérer les derniers changements avant

de devenir un véritable dauphin. Et une formidable bouffée de joie m'envahit ! J'avais oublié à quel point le dauphin était un animal joyeux. Ça paraissait bizarre, si on
considère ce contre quoi nous nous battions. N'empêche que, malgré tous nos problèmes, nos
angoisses, la joie du dauphin était difficile à contenir.

< Allons trouver cette baleine ! > décida Rachel.

Nous nous sommes élancés aussi vite que des
dauphins peuvent le faire. Je projetai des ondes
acoustiques avec une sorte de sonar naturel situé
dans ma tête. Les sons résonnèrent dans l'eau à la
ronde, et leur écho revint vers moi pour me restituer
une image précise du relief environnant. On appelle
cela l'écholocalisation.

< Je l'ai en écholocation >, annonçai-je aux autres.

< Ouais, confirma Jake. Un peu plus à gauche. Elle
n'est plus très loin, maintenant. >

Bientôt, j'ai pu entendre le fracas produit par la
baleine lorsqu'elle retombait dans l'eau. Filant comme
des torpilles, nous avons nagé à ses côtés, plus rapides
qu'elle, mais insignifiants auprès de son énorme masse.

Elle fonçait tel un semi-remorque ou un train. Son
flanc était un mur gris, couvert de balafres et de
bernacles.

« Mes petits, dit la baleine avec une voix qui n'était pas vraiment une voix, avec des mots qui n'étaient pas vraiment des mots. Il y a un étrange nuage au-dessus. »

Elle continua de nager, sans trop paraître se soucier de notre présence ou de notre absence. Le Veleek nous survolait en suivant notre allure, incapable d'attaquer, mais refusant de s'éloigner.

< Allez, c'est le moment, annonçai-je. Tenez-vous prêts ! >

Je commençai à démorphoser. Ce qui était plus facile à dire qu'à faire. Je nageais à la vitesse d'une baleine. Bien plus vite qu'aucun humain n'en est capable.

« La grande, je t'en prie, ne plonge pas », demandai-je à la baleine.

Soit elle m'entendit, soit elle me comprit, je n'en sais rien. Mais en tout cas, elle accepta. Ce n'est pas facile de décrire la façon dont les baleines communiquent. Les dauphins peuvent entendre cela, mais ce ne sont pas des mots, pas vraiment. Ce sont plutôt des images, étranges et belles qui s'impriment simplement dans votre esprit.

Jake et Rachel vinrent se coller de part et d'autre

de moi. Ils se pressèrent contre moi et me poussèrent dans l'eau. Je démorphosai et, peu à peu, ma queue de dauphin se divisa pour devenir une paire de jambes. Quant à mes nageoires, elles se fendaient pour former des doigts.

J'avais retrouvé ma forme humaine et je repris mon souffle, mon visage et lui seul émergeant de l'eau. Pendant ce temps, le Veleek planait à moins d'un mètre au-dessus de la surface, affamé, guettant l'instant propice.

Je pressai mes mains humaines sur le flanc de la baleine. Je concentrai mon esprit sur le processus d'acquisition. Ça me semblait... mal, je ne sais pas pourquoi. En quelque sorte, je trouvais que j'aurais dû demander la permission de la baleine. Mais la façon si lente, si imprécise dont ces animaux communiquent ne convient guère aux longues explications. Et j'avais besoin de son ADN.

Elle ralentit et s'arrêta presque. C'était la transe de l'acquisition. Tous les animaux deviennent calmes lorsqu'on les acquiert. Mais j'avais du mal à considérer la baleine comme un simple animal. J'avais déjà eu affaire à elles auparavant. Leur intelligence n'a rien à voir avec celle des humains, mais elles ont un esprit, et une âme, je crois.

Lorsque j'eus fini d'acquérir son ADN, j'ôtai mes mains de son flanc.

– J'ai terminé ! criai-je en avalant au passage une bonne gorgée d'eau salée.

Mes amis ralentirent leur course, laissant la baleine s'éloigner.

A présent, j'étais une des créatures les plus empotées du monde : un humain plongé dans l'océan. Je ne craignais pas de me noyer puisque mes amis m'entouraient, tous en animorphe de dauphin. Mais la présence du Veleek, juste au-dessus de nous, tel un plafond menaçant de me tomber dessus, avait un petit quelque chose de terrifiant.

– Est-ce que Tobias est prêt ? demandai-je.

< Il est au-dessus du Veleek, répondit Jake. Comment tu t'en sors ? >

– Jusqu'ici... rhââglouuub... khhrâââ ! khhrâââ ! grognai-je en chassant douloureusement toute l'eau salée qui m'emplissait la bouche. Jusqu'ici, ça va. Je suis prête.

CHAPITRE 42
Tobias

Ce n'était pas le genre de situation que je préférais. Les faucons ne sont pas comme les oies. Nous sommes incapables de voler à la force des ailes, pendant des heures. Franchement, j'ignore comment font les oies.

Les faucons aiment bien avoir un peu de vent de face pour les aider à s'élever quand ils décollent. Du vent de face, ça, j'en avais. Mais la plupart du temps, nous chassons du haut des arbres, en nous laissant tomber sur des souris ou des lapins insouciants. Nous ne pouvons atteindre des altitudes importantes sans l'aide d'un courant thermique. Sans quoi, c'est trop fatigant, il faut battre des ailes sans arrêt pour essayer de gagner de l'altitude centimètre par centimètre.

Mais je ne pouvais guère me plaindre. La mission de Cassie était bien pire.

Elle était sur mon dos dans une animorphe de cafard. Pour échapper au Veleek, elle avait dû finir de morphoser alors qu'elle se trouvait encore littéralement sous l'eau. Elle avait donc morphosé d'humain en dauphin, puis d'humain en cafard. Et le pire était à venir.

< T'es bien installée, là haut ? >

< Oui. Ça va très bien. Est-ce que le Veleek nous suit ? >

< Non, les autres font diversion et l'attirent vers eux, plus bas, en dessous. Ils font des animorphes partielles, en s'arrangeant pour qu'il reste près de la surface de l'eau. >

< C'est bien. Comment tu vas ? >

< Pas de problème. >

C'était un mensonge. Je devais me battre comme un forcené pour gagner chaque dizaine de centimètres d'altitude, et j'étais épuisé. Il fallait que j'arrive aussi haut que possible. Cassie aurait besoin de chaque centimètre que je pourrais lui donner.

Nous progressions. A une trentaine de mètres de hauteur, je captai un courant qui m'emporta jusqu'à trois cents mètres d'altitude. Mais ensuite, nous sommes arrivés dans une zone d'air immobile.

Un air totalement inerte, où je m'épuisais à battre des ailes.

< Tobias ? >

< Oui, Cassie. >

<Tu crois que ça va marcher ? >

< Si je peux t'emmener assez haut, ça marchera. >

< Est-ce que tu as souvent peur ? > me demanda-t-elle.

< Qui ça, moi ? J'ai peur de tout. Je sais bien que je suis un prédateur, mais est-ce que tu sais combien de prédateurs plus puissants me courent après ? Tous les aigles royaux, tous les grands faucons. Tu sais comme ils sont rapides ? C'est comme si tu étais touchée par une balle de fusil. A côté d'eux, j'ai l'air de voler comme un ballon dirigeable. Et puis il y a les ratons laveurs, les renards, les serpents, ainsi qu'à l'occasion, les chats domestiques énervés. Et ça, ce n'est jamais que l'environnement naturel. Ajoutes-y les Yirks, et le fait que, certains jours, je me réveille sans trop savoir si je suis un garçon ou un oiseau... ouais, Cassie, j'ai peur très souvent. >

< Comment tu fais pour la surmonter ? >

< Qui a dit que je la surmontais ? Il n'y a qu'une

seule solution avec la peur : faire avec, puis foncer droit devant et agir quoi qu'il arrive ! >

< Ouais. Je pense que c'est vrai. Écoute, Tobias, si je n'y arrive pas... >

< Oh, tais-toi ! Tu vas y arriver. >

< Si, euh... si je n'y arrive pas, tu vois, j'aimerais que tu dises à Jake qu'il faudrait qu'il parle un jour à mes parents, d'accord ? Un jour quelconque, s'il n'y a pas de danger. Qu'il leur explique ce qui m'est arrivé. C'est promis ? >

< Pas de problème, Cassie. Je te le promets. >

< Évitez juste de dire à mon père ce qui est arrivé à son vieux pick-up, ajouta-t-elle avec un rire forcé. Il croit qu'il a été volé. Autant le laisser croire ça. >

< Cassie ? On y est. Je ne peux pas monter plus haut. >

< Ok, Tobias. Et merci pour la balade. >

Je la sentis trotter le long de mon aile. Et une seconde plus tard, je la vis tomber en tournoyant. Une fille transformée en cafard tombait de plus de mille cinq cents mètres de haut en essayant d'inciter un monstre à l'attaquer.

Une fille qui estimait qu'elle était lâche, démontrant, s'il en était besoin, à quel point les gens peuvent mal se connaître eux-mêmes.

Grâce à mes yeux de faucon, je la vis grandir et grandir encore, à mesure que son ADN humain reprenait le dessus.

Et je vis le Veleek tourner ses nombreuses gueules vers le ciel.

CHAPITRE 43
Cassie

Je tombais. Pratiquement aveugle, avec mes yeux de cafard, je tombais. Je fixai mon esprit sur une seule idée : morphoser.

Pas le temps de me demander où était la surface de l'océan. Pas le temps de m'inquiéter du Veleek. Morphoser, morphoser, morphoser.

Mains. Jambes. Bras. Yeux.

Yeux !

Je voyais à nouveau ! Au-dessous de moi, aussi loin que mes yeux pouvaient porter, dans toutes les directions, de l'eau. De minuscules vagues coiffées d'écume blanche. Les ondulations de la houle qui capturaient l'éclat du soleil. C'était magnifique. Le ciel bleu au-dessus. L'eau bleue au-dessous. Une eau bleue qui serait plus dure que du béton si je la heurtais trop vite.

Je voyais Tobias qui décrivait des cercles au-dessus

de moi. Et en bas, dans l'eau, il y avait trois minces formes gris pâle : Jake, Rachel et Marco.

Et puis, le Veleek arriva vers moi comme une tornade. Il avait senti l'énergie que j'avais dégagée en démorphosant pour redevenir humaine.

Étais-je entièrement humaine ? Oui. Il le fallait. Mais le coup de fatigue que j'ai ressenti à ce moment-là m'a fait trembler de tous mes membres.

Trop de changements d'animorphe. Trop vite. Et maintenant...

« Morphose ! Morphose ! Morphose ! m'ordonnai-je. Allez, concentre-toi ! Crois-y ! »

Mais les changements étaient lents. Si lents. Je concentrai mon esprit. Mais j'étais si fatiguée. Et c'était si facile de se laisser tomber, tomber, tomber...

« Morphose, Cassie ! Vas-y ! »

Je perçus des changements. Je me sentis grandir...

Et soudain, il était sur moi ! Le Veleek projeta ses cordes de poussière. Elles s'enroulèrent autour de moi comme les tentacules d'un poulpe. Autour de mes mains qui étaient devenues des nageoires. Autour de mes jambes qui se soudaient l'une à l'autre.

« Ignore-le ! Morphose ! C'est ta seule chance ! »

Je sentis le Veleek se charger de mon poids. La vitesse de ma chute commença à ralentir, mais nous tombions toujours, moi et le Veleek.

A travers la tornade de poussière, j'aperçus fugitivement un bout d'océan. Les silhouettes fuselées de mes amis étaient trop grandes. Trop proches !

« Morphose, Cassie. Encore une fois, morphose ! » Mais je n'en avais plus la force. J'étais vaincue...

Quand... à cet instant, je sentis le cerveau de la baleine effleurer le mien. Avec ses instincts, la mémoire de son ADN.

« Aidez-moi », la suppliai-je.

Dans un rêve où je tombais, où je tombais sans fin, j'atteignis un être vaste et sombre que je ne saurais décrire. J'atteignis la force de la baleine.

« Morphose ! Achève ton animorphe ! Achève-la, et tu pourras te reposer. »

CHAPITRE 44

Rachel

Au début, je n'arrivais pas à la voir. Puis, le cafard grandit et devint plus visible. Je pouvais la voir comme un point de ponctuation, très, très haut dans le ciel.

< Elle arrive >, annonçai-je.

Le Veleek frissonna, excité par la proximité d'une nouvelle proie.

< Est-ce qu'on continue d'essayer de détourner son attention ? > demandai-je.

< Non, répondit Jake. C'est à Cassie de jouer, maintenant. >

Un jour, Jake sera général ou président. Il est capable de prendre les décisions les plus dures, même quand il s'agit des gens à qui il tient plus que tout au monde.

Elle tombait et grandissait, retrouvant sa forme humaine.

< Elle est trop bas ! Elle n'aura pas le temps ! > hurlai-je.

< Le Veleek ! Il va la ralentir ! > s'exclama Marco.

Aucun de nous n'avait jamais adopté autant d'animorphes en si peu de temps. C'était ahurissant. C'était impossible.

Et pourtant, tandis que le Veleek l'enveloppait de ses tentacules, les barbillons d'une baleine à bosse commençaient déjà à surgir de sa bouche.

A présent, il ne nous restait plus qu'à observer le Veleek. La tempête de poussière qui entourait Cassie. Elle ralentit. Elle ralentit encore. Et puis...

< Je deviens fou ou il descend plus vite ? > observa Marco.

< Ah oui ! Mais oui ! > m'écriai-je.

< Elle a réussi ! >

Le Veleek tombait comme une pierre. Vite. De plus en plus vite. Il était incapable de supporter le poids qui ne cessait de s'accroître entre ses tentacules. Il n'avait pas réussi à soulever un éléphant, et ce qu'il tenait à présent était bien plus lourd.

Il avait enveloppé ses tentacules autour d'une baleine à bosse mâle et adulte.

Et il tombait droit vers l'océan.

Au dernier instant, le Veleek tenta de se dégager. Mais il avait enserré trop étroitement sa proie, qui n'était d'ailleurs plus exactement une proie pour lui.

Je plongeai sous la surface, juste à temps pour voir...

SHHHPLAOUFFF PSSSSSSHHHHH !

La tornade percuta la surface de l'eau. Les milliards de particules qui la composaient s'abattirent dans les vagues de l'océan. En une fraction de seconde, tout disparut. Sans espoir de retour.

Et là, jaillissant des restes du maudit Veleek, émergeant de la tornade agonisante, apparut une créature au corps lisse et gigantesque.

< Cassie ! Cassie ! Cassie ! Est-ce que ça va ? >

Il n'y eut pas de réponse. La baleine s'écrasa dans l'eau.

< Cassie ! Réponds-moi ! >

Et puis, elle donna un formidable coup de queue.

< Whahouuu ! hurla Cassie. Prends ça, saleté ! >

Puis, elle fonça presque à la verticale et son énorme masse jaillit à la surface.

< Hé, Vysserk Trois ! J'ai lavé ton toutou ! >

Elle retomba dans une immense gerbe d'écume et nous avons tous foncé pour la rejoindre.

< Bien joué, Cassie. Bon travail ! la complimenta Jake. Un Veleek à zéro ! >

< J'arrive pas à le croire, fit Marco. On en a vraiment battu un. On a gagné ! >

< Cassie, tu dois être complètement crevée >, s'inquiéta Tobias, qui planait lentement au-dessus de nous.

< Plus maintenant, dit-elle. Je me sens vraiment bien. J'ai cru que nous avions perdu. Et tu sais quoi ? C'est pas encore pour maintenant. Pas avant un bon bout de temps ! >

Sur ces mots, à ma complète stupeur, elle se mit à chanter le chant profond, étrange et obsédant de la baleine à bosse. Les ondes sonores me firent frissonner. Je ne sais pas trop pourquoi.

< Qu'est-ce que tu chantes ? lui demanda Jake. C'est quoi les paroles ? >

< C'est pas vraiment des paroles, expliqua Cassie. Mais si c'en était, elles tiendraient en un seul mot : espoir. >

L'aventure continue...

Ils sont parmi nous !
Ne Les laissez pas vous contrôler, lisez...

Le mystère
Animorphs n°14

Et découvrez dès maintenant
ce qui vous attend !

66 Soudain, je m'aperçus qu'il se passait quelque chose dans la tête de l'animal.

– Regarde ! m'écriai-je.

C'est alors que nous avons vu sortir une limace de son oreille gauche. Une espèce de grosse limace grise.

– Est-ce que c'est ce à quoi je pense ? dit tout bas Rachel.

– Oui, je crois.

La limace se glissait lentement hors du crâne du cheval. Elle tomba lourdement sur le sol caillouteux couvert d'herbes sauvages. Elle se tortilla ensuite dans tous les sens et commença à s'éloigner.

J'avais déjà vu ce genre de limace. Cassie aussi.

– Un Yirk, fis-je. Il y avait un Yirk dans le crâne de cette jument.

La limace continuait à ramper dans la nuit. Je jetai un coup d'œil en arrière et vis mon père qui fouillait toujours dans son matériel d'urgence à l'intérieur de la camionnette. C'est à ce moment-là qu'est apparu un étalon à la robe claire.

Il n'était pas d'une taille gigantesque, mais au premier coup d'œil vous deviniez qu'il s'agissait d'un animal puissant. Il s'approcha lentement de nous, en tenant sa tête bien haut. Il regarda la jument couchée à terre, puis son regard se fixa sur le Yirk qui se tortillait sur le sol.

Il était difficile de bien voir dans cette obscurité, mais je crois que le Yirk grimpa le long de la jambe du cheval. Comme s'il essayait de le rejoindre. Puis l'étalon fit demi-tour et commença à galoper.

– Rachel ?

– Oui.

– Nous devrions partir d'ici.

– Qu'est-ce que tu veux dire ? Pourquoi ?

Je ne savais pas pourquoi. C'était juste une impression. Quelque chose d'instinctif. Mais c'était vraiment convainquant.

– Ne cherche pas à comprendre, cours, cours ! 🙿

Ils sont parmi nous !
Ne Les laissez pas vous contrôler, lisez...

L'évasion

Animorphs n°15

Et découvrez dès maintenant
ce qui vous attend !

66 Erek se mit à rire avec son museau de chien
chromé. Mais il redevint instantanément sérieux.

– J'ai besoin de te parler seul à seul Marco.

– Tu peux y aller, je n'ai rien à cacher à Jake. Je
suis persuadé que c'est ça le secret d'un mariage
réussi : la vérité et l'honnêteté.

– C'est à propos de quelqu'un qui a autrefois été
très proche de toi, Marco.

Mon cœur s'est arrêté de battre.

J'ai immédiatement compris de qui il voulait par-
'er. J'ai voulu dire quelque chose, mais les mots
nt jamais pu sortir de ma bouche. J'ai essayé
nouvelle fois.

– Ma mère ?

Erek jeta un regard à Jake.

– Ne t'inquiète pas, le rassura-t-il. Je suis au courant. Je suis la seule autre personne à savoir.

Erek hocha la tête.

– Marco, ta mère est de retour sur terre. Elle a en charge la surveillance d'un nouveau projet très secret. Les opérations sont menées depuis l'île Royan. Ou, pour être plus précis, depuis les fonds sous-marins de l'île Royan.

Je n'écoutais pas vraiment ce qu'il me disait. Je n'avais entendu qu'une chose : ma mère était de retour sur Terre.

Jake avait compris. Il poursuivit la conversation avec Erek.

– Et que peuvent-ils bien faire au fond de l'océan ?

– Nous ne savons pas. Mais le fait que Vysserk Un en personne s'occupe de cette opération suffit à nous faire croire qu'il s'agit de quelque chose d'extrêmement important. 99

— Ma mère ?

Erek jeta un regard à Jake.

— Ne t'inquiète pas, le rassura-t-il. Je suis au courant. Je suis la seule autre personne à savoir...

Erek hocha la tête.

— Marco, ta mère est de retour sur terre. Elle a en charge la surveillance d'un nouveau projet très secret. Les opérations sont menées depuis l'île Royan. Ou, pour être plus précis, depuis les fonds sous-marins de l'île Royan.

Je n'écoutais pas vraiment ce qu'il me disait. Je n'avais entendu qu'une chose : ma mère était de retour sur Terre.

Jake avait compris. Il poursuivit la conversation avec Erek.

— Et que peuvent-ils bien faire au fond de l'océan ?

— Nous ne savons pas. Mais le fait que Vysserk Un en personne s'occupe de cette opération suffit à nous faire croire qu'il s'agit de quelque chose d'extrêmement important.